BIBLIOTHEQUE PUBLIQUE
JAN 2 7 2020
WITHDRAWN
DE WINNIPEG

D0168830

Nous remercions la SODEC
et le Conseil des Arts du Canada
de l'aide accordée à notre programme de publication
ainsi que le gouvernement du Québec
– Programme de crédit d'impôt
pour l'édition de livres
– Gestion SODEC.

SODEC Québec   Conseil des arts du Canada   Canada Council for the Arts   Canada

Nous reconnaissons l'aide financière
du gouvernement du Canada
par l'entremise du Fonds du livre du Canada
pour nos activités d'édition.

Illustrations : Annie Rodrigue
Montage de la couverture : Grafikar
Conception de la maquette : Mélanie Perreault et Grafikar
Montage des pages intérieures : Claude Bergeron

Membre de l'Association nationale des éditeurs de livres

ASSOCIATION NATIONALE DES ÉDITEURS DE LIVRES

Financé par le gouvernement du Canada
Funded by the government of Canada | Canada

Dépôt légal : 3e trimestre 2015
Bibliothèque et Archives Canada
Bibliothèque nationale du Québec

234567890 IML 098765

ISBN : 978-2-89633-333-2
11665

Hortense Craquepote et moi

DE LA MÊME AUTEURE
AUX ÉDITIONS PIERRE TISSEYRE

Collection Papillon

Zack et ses électrons, roman fantastique.

Série Les enquêtes de Gaston Dupont

1. *Le mystère de la cacahuète jaune*, roman policier.
2. *Le corridor des mauvais sorts*, roman policier.

Catalogage avant publication de Bibliothèque et Archives nationales du Québec et Bibliothèque et Archives Canada

Lambert, K. (Karine)

Hortense Craquepote et moi

(Collection Papillon ; 199)

Pour les jeunes de 9 ans et plus.

ISBN 978-2-89633-333-2

I. Rodrigue, Annie, 1982- . II. Titre. III. Collection : Collection Papillon (Éditions Pierre Tisseyre) ; 199.

PS8623.A483H67 2015 jC843'.6 C2015-941122-X
PS9623.A483H67 2015

Hortense Craquepote et moi

roman fantastique

de K. Lambert

ÉDITIONS
PIERRE TISSEYRE
www.tisseyre.ca

155, rue Maurice
Rosemère (Québec) J7A 2S8
Téléphone : 514-335-0777 – Télécopieur : 514-335-6723
Courriel : info@edtisseyre.ca

Chapitre 1

L'affreuse bicoque

Je n'ai pas connu Hectorine, la tante de mon père. Mais une chose est certaine: elle devait avoir un sacré sens de l'humour. C'est la seule façon d'expliquer les surprises étranges qui nous attendaient à la lecture de son testament.

Le bureau de maître Lebeau était gai comme un corbillard. Dans ce caveau, tout était désespérément gris. Même la perruque du notaire, aplatie de chaque côté de sa tête, avait la couleur fade d'une souris écrasée.

Hectorine... Personne n'avait visité cette vieille tante depuis une éternité. Pourtant, tout le monde pleurnichait dans son habit noir. Pendant que maître Lebeau préparait ses documents, on entendait des mouchements épouvantables. On aurait dit une symphonie de trombones mal accordés.

On chuchotait que «la défunte» avait été une «gentille excentrique». C'est drôle. De son vivant, on l'appelait plutôt la «méchante folle». J'imagine qu'un testament, ça détraque la mémoire. Surtout quand on espère en picorer des miettes... J'en voulais à mon père de m'avoir traînée à cette réunion de corbeaux.

Maître Lebeau s'est finalement raclé la gorge. Le moment était solennel: il allait lire les dernières volontés de cette «chèrrre Hectorrrine». Le notaire a ajusté ses lunettes en prenant un air de croque-mort... mais deux minutes plus tard, c'est à deux mains que j'allais devoir me tenir les côtes pour ne pas éclater de rire!

Imaginez-vous que ma cousine Estelle héritait de la «prrrestigieuse collection de pinces à linge» de tante Hectorine. Éloïse, quant à elle, se retrouvait avec ses «trrrente merrrveilleux albums de photogrrraphies de grrros orrrteils»!

Aussi, lorsque le nom de mon père s'est fait entendre, j'étais sûre qu'il allait recevoir un «magnifique tas de mouchoirrrs usagés». Bien fait pour lui! Ça lui apprendrait à m'emmener à des réunions pourries! Mais, avec grand sérieux, le notaire a déclaré:

— ... je laisse à mon neveu Frrrançois ma charrrmante demeurrre de Saint-Philémon...

Vraiment? Tante Hectorine laissait sa maison à papa? Lui et moi, on avait les yeux ronds comme des pleines lunes.

Je n'avais pas encore digéré la nouvelle que déjà, maître Lebeau ajoutait de sa voix traînante:

— ... et je lègue à ma petite-nièce Pénélope ma possession la plus imporrrtante...

Quoi? Tante Hectorine me léguait quelque chose de précieux?

L'homme de loi s'est penché derrière son bureau. Lorsqu'il est réapparu, il tenait un vieux coffret en bois. Il m'a tendu l'antiquité en disant:

— Ma cliente a insisté pourrr que je te donne ce colis en mains prrroprrres. Son contenu est d'une grrrande valeurrr...

Tous les regards étaient braqués sur moi. Est-ce qu'il s'agissait d'un coffre à bijoux? Cousine Éloïse me dardait de ses yeux aiguisés comme des sarbacanes. Inutile de faire durer le suspense. J'ai soulevé le couvercle pour découvrir... une paire de bottillons poussiéreux, troués à quelques endroits et probablement trop grands pour moi. Quel beau cadeau!

Dans l'assistance, on se mordait la lèvre pour ne pas rire. Je me suis consolée en pensant que, vers la fin, tante Hectorine devait commencer à perdre la boule.

En sortant du cabinet du notaire, j'étais sûre de deux choses: papa vendrait la maison et je jetterais ces horribles souliers.

Je m'étais royalement trompée.

J'aime autant que vous le sachiez tout de suite: je n'ai pas eu le cœur de me débarrasser des abominables godasses. Il s'agissait quand même du premier et dernier cadeau de ma tante inconnue. J'ai tout simplement balancé les affreuses bottines dans le fond de mon placard.

Ensuite – vous allez bien rire –, non seulement on n'a pas vendu la maison, mais on y est déménagés !

Qu'est-ce qui s'est passé ? Eh bien, voilà : mon père s'est mis en tête que ce serait « absolument génial » d'écrire son prochain roman dans le calme d'un petit village. Mais ce n'était pas la seule raison...

— Tu vas voir, qu'il m'a dit en me forçant à faire ma valise, la campagne, c'est très joli. La nature, les petits oiseaux... ça va te faire du bien de te reposer avant ton entrée au secondaire.

Parfois, j'ai l'impression que mon père me prend pour une idiote. Me reposer, moi ? Voyons, donc ! Il pense que je ne sais pas qu'il se dispute avec maman ? Dans la maison, quand je ne les entends plus parler, c'est qu'ils se chuchotent des bêtises.

Souvent, je colle mon oreille contre la porte de leur chambre pour connaître l'étendue des dégâts. Un soir, j'ai entendu un truc du genre : « prendre un temps de pause entre nous deux». Ça m'a donné l'impression d'avaler dix glaçons. L'année d'avant, les parents de mon amie Christina avaient pris «un temps de pause». Maintenant, ils sont divorcés... Alors, quand mon père a déclaré qu'il nous emmenait à la campagne pour l'été, ma petite sœur Magalie et moi, j'ai eu l'impression de recevoir ma sentence pour le goulag.

C'est ainsi que, à quelques semaines de ma rentrée au secondaire, j'ai dû abandonner mes amis, mes activités, ma vie quoi! Tout ça pour aller m'enterrer à Saint-Philémon dans une maison qui ne mérite même pas ce nom.

Parce que laissez-moi vous dire que la «charmante demeure» de tante Hectorine est en vérité une affreuse bicoque. Quand mon père a garé la voiture dans l'entrée, je me suis croisée les doigts et les orteils. Je priais pour qu'il se soit trompé d'adresse.

—C'est joli, n'est-ce pas? a claironné papa en enlevant les clés du contact.

Tout ce que je voyais, c'était un balcon chambranlant et de la peinture écaillée. Avec ses colonnades et ses grandes lucarnes, la maison avait peut-être été belle… il y a cent ans! Maintenant, elle avait tout d'un refuge à araignées, cloportes, mille-pattes et autres créatures grouillantes.

Mais quand mon père se met une idée dans la tête… Bref, vous savez sûrement ce que c'est!

L'après-midi était chaud et humide. Du genre à vous faire regretter le mois de janvier. Ça faisait une semaine qu'on était arrivés dans cette fichue cabane. Depuis ce temps, je gardais un air de bulldog enragé.

Douze ans, c'est un âge pourri. On est assez vieux pour comprendre ce qui se passe autour, mais trop jeune pour être pris au sérieux… J'avais averti mon père que déménager était une mauvaise idée. Comment pouvait-il espérer se rapprocher de maman en mettant trois heures d'autoroute entre eux? Mais il n'avait rien voulu entendre. J'avais l'impression qu'il n'essayait même pas d'arranger les choses.

Assis sur le balcon, on venait de finir de dîner. Durant tout l'avant-midi, papa avait tenté de réparer le tuyau sous l'évier. Après s'être fait asperger une dizaine de fois, il avait finalement attaché une guenille à pois à l'endroit qui dégouttait, et posé une chaudière en dessous.

J'en ai bien sûr profité pour lui rappeler que c'était sa faute si on était «prisonniers de ce trou à rats». À partir de là, la

conversation n'était pas allée en s'améliorant... Aussi, dans la canicule du midi, on a avalé notre sandwich dans un silence glacial pendant que Magalie observait les écureuils sauter d'arbres en arbres.

Une fois nos assiettes vides, mon père s'est levé d'un bond. Il nous a regardées comme s'il venait d'avoir un eurêka digne d'un prix Nobel :

— Et si on allait chez Monsieur Maboule, au village, pour manger une crème glacée ?

Ma petite sœur a sauté sur ses pieds.

— J'en veux une à la pistache ! a-t-elle crié, les yeux exorbités.

Magalie trouvait génial de vivre au milieu des moufettes et des rats musqués. Tous les matins – alors que j'arpentais le terrain à la recherche d'un signal cellulaire –, elle me suivait en espérant surprendre un chevreuil.

— Tu viens avec nous, Pénélope ? a demandé papa en me lançant un sourire qui ressemblait à un drapeau blanc.

Miam! Un lait frappé au chocolat... ça aurait coulé dans ma gorge comme du velours! Mais je ne voulais pas manquer cette opportunité d'embêter mon geôlier:

— Non, je reste ici..., ai-je bougonné en détournant le regard.

Papa avait déjà tout essayé pour me faire changer d'humeur. Plusieurs fois, j'avais eu droit au sermon: «Dis-toi que c'est une nouvelle aventure! Apprécie ce qu'il y a autour de toi... bla, bla, bla». Mais je n'étais pas capable de dissoudre la boule de colère derrière mon nombril.

— Bon, c'est comme tu veux, a soupiré papa. Si tu changes d'idée, viens nous rejoindre à bicyclette.

Ma petite sœur gambadait déjà vers la voiture. Je l'enviais d'avoir quatre ans. Bien sûr, elle avait ses petits problèmes. À l'heure du thé, les damnées fées se cachaient toujours sous les fougères et son raton laveur imaginaire refusait d'apprendre les bonnes manières. Quand même... j'aurais échangé son monde et le mien n'importe quand.

Maman avait gardé la nouvelle voiture parce qu'elle en avait «besoin pour son travail». Non seulement on se retrouvait perdus au milieu de nulle part, mais en plus on était coincés avec le bazou de mon père.

Sous les rayons solaires, la bagnole s'était transformée en four. Quand Magalie a ouvert la portière, un jet de vapeur volcanique lui a balayé le visage. Il en fallait davantage pour la décourager de manger une crème glacée! Elle a grimpé sur la banquette et attaché sa ceinture «comme une grande». Papa a tourné la clé dans le contact et le tas de ferraille a lâché trois pets de fumée avant de reculer sur l'allée de gravier.

C'est alors qu'un événement vraiment, mais vraiment bizarre s'est produit... À mi-chemin dans l'entrée, la voiture s'est immobilisée. À l'intérieur, Magalie s'était transformée en statue de cire, sa petite main pétrifiée au milieu d'un au revoir. Même un merle qui passait par là s'est retrouvé cloué, les ailes ouvertes, au beau milieu du ciel.

J'ai cligné des yeux une, deux, trois fois... À la quatrième, l'auto de papa s'est enfin remise en branle et l'oiseau a fini sa course pour atterrir sur une branche de sapin.

Qu'est-ce qui venait d'arriver? Avec cette chaleur étouffante, je devais souffrir de déshydratation... Alors que la voiture rouillée disparaissait dans une traînée de poussière, j'ai pensé que je ferais mieux de rentrer pour boire quelque chose.

Calée dans le sofa, je sirotais mon verre d'eau. Au-dessus du foyer, le portrait d'Hectorine semblait me regarder. La vieille femme avait l'air plutôt sympathique avec ses pommettes cerise et sa robe à pois. Pourtant, je la lorgnais en boudant.

C'était tout de même sa faute si je me retrouvais coincée dans ce trou perdu.

La veille, papa m'avait dit que je ressemblais beaucoup à ma grand-tante. Franchement, je ne voyais pas trop comment! Ses yeux étaient bleu ciel, et les miens brun chocolat. Ses cheveux blancs comme un nuage, et les miens noirs comme le soir.

Mais en observant le tableau, j'ai vu que, comme moi, tante Hectorine possédait de petits grains de beauté qui formaient une demi-lune sur sa joue, juste au coin de l'œil droit.

Intriguée, je m'approchais du portrait lorsque j'ai entendu du bruit dans la cuisine. Un raton laveur ou un écureuil avait probablement trouvé le moyen d'entrer dans cette vieille baraque. J'ai délaissé la photo d'Hectorine pour aller mener ma petite enquête.

En franchissant le seuil de la salle à manger, j'ai lâché un cri d'épervier. Quatre affreuses bestioles se promenaient dans la pièce : l'une trottinait sur le comptoir en mélamine ; l'autre avançait contre l'armoire en bois ; la troisième tournoyait dans le bol à fruits et la dernière escaladait la fenêtre à carreaux. Yark ! Je savais que cette bicoque était infestée ! Mais... mais... par quoi ?

Je n'avais jamais vu d'insecte comme ça... Leur corps rayé noir et jaune était long comme celui d'un serpent à sonnette. Sous cette carcasse écœurante, des milliers de pattes de coquerelles gigotaient dans tous les sens. Comme si ce n'était pas assez dégoûtant, un long dard rouge et luisant leur servait de queue.

Il n'était même pas question que j'essaie d'écraser ces affreuses bêtes. Canicule ou pas, j'allais ficher le camp à l'extérieur. S'il le fallait, je ferais du camping pendant le reste de l'été, mais je ne remettrais pas les pieds dans cette maison de malheur. Pas avant que des exterminateurs la passent au peigne fin!

J'ai foncé vers la sortie. Comme je mettais les pieds dans le vestibule, une bestiole est descendue du plafond et s'est mise à ramper contre la porte d'entrée.

J'étais coincée! Et cette espèce de mille-pattes mutant avançait maintenant vers moi...

En plissant le nez, j'ai observé l'abominable insecte qui tournait son dard dans toutes les directions. Que faire? Sauter par-dessus pour atteindre le seuil? Pendant que j'hésitais, la queue du scorpion intergalactique a frôlé la petite table en bois de l'entrée. À partir de ce moment-là, je me suis demandé si je ne perdais pas le nord pour de bon.

Pouf! Sous mes yeux, le meuble s'était volatilisé. Il n'en restait même plus l'ombre d'un bran de scie. Aussitôt, le dard luisant reprenait sa course pour foncer sur la patère. Pouf ! Partie, disparue elle aussi !

Est-ce que j'hallucinais ? Franchement, je n'ai pas débattu la question plus longtemps. Pourquoi ? Parce que la sale bestiole venait de pointer son dard vers moi et qu'elle chargeait dans ma direction !

J'ai couru vers l'escalier. Ne me demandez pas comment, mais je savais que l'horrible vermine me poursuivait de ses affreuses pattes noires. J'ai monté les marches quatre à quatre. Une fois rendue dans ma chambre, j'ai enclenché le verrou et je me suis précipitée sur ma courtepointe. Je calfeutrais le bas de ma porte avec la couverture quand j'ai entendu :

— Ce n'est pas ta douillette rose bonbon qui va retenir ces croquepattes !

J'ai sursauté. D'où provenait cette voix rauque et nasillarde ? Pourtant, il n'y avait personne dans la pièce. Qu'est-ce qui se passait ? J'ai fait quelques pas vers la fenêtre. J'avais réellement perdu la tête. J'étais sûre de finir ficelée dans une camisole de fous, lorsque je suis tombée face à face avec elle...

Dans le miroir ovale posé sur ma commode, une drôle de bonne femme me regardait. Son menton était plein de poils drus alors que son nez ressemblait à celui d'un boxeur retraité. Elle portait une robe fleurie couverte d'étranges taches vertes. Quant à son chapeau de paille... je dirai poliment qu'il aurait sûrement fait la joie d'un épouvantail.

— Tu as de la chance, a-t-elle affirmé, ils ne t'ont pas vue entrer dans la pièce et ils te cherchent encore. Il n'y a pas de temps à perdre! Mets les souliers d'Hectorine et descends à la cave.

Je ne pouvais m'empêcher de fixer ses dents pareilles à des notes de piano.

— Qui... qui êtes-vous? ai-je baragouiné.

La bonne femme a soulevé son couvre-chef en libérant un chignon ébouriffé de cheveux poivre et sel.

— Hortense Craquepote, à ton service! Mais on aura le temps de faire les présentations plus tard... Les croquepattes explorent la chambre de Magalie, c'est le moment! Mets les bottillons et fonce au sous-sol.

Je n'avais pas tellement envie d'attendre que les croque-machins viennent me grignoter les orteils... C'est ainsi que j'ai décidé de tenter ma chance avec Hortense. J'ai plongé la main dans ma garde-robe pour repêcher les vieilles bottines. J'étais sur le point de découvrir si le cadeau d'Hectorine était empoisonné...

Chapitre 2

La sorcière sous l'escalier

D'un trait, j'ai couru au fond du corridor. En passant devant la chambre de Magalie, je n'ai même pas vérifié si les créatures s'y trouvaient. J'ai dévalé les marches jusqu'à l'étage principal, puis j'ai viré à gauche pour me rendre à la porte du sous-sol.

D'un coup, j'ai tiré sur la vieille poignée dorée. Mais, gonflée par l'humidité, la porte de bois est restée coincée. J'entendais le raclement des croquepattes qui descendaient l'escalier. La peur m'a donné des muscles. Dans un nuage de poussière, la porte de la cave a fini par céder.

Une odeur de moisi m'a chatouillé les narines. Devant moi, de vieilles marches pourries disparaissaient dans le noir. J'ai tâtonné le mur pour activer le commutateur. Une ampoule fixée au plafond s'est allumée dans un grésillement de court-circuit.

J'ai descendu l'escalier sans me soucier des grincements inquiétants ou des cloportes qui s'enfuyaient en zigzaguant. J'avais parcouru une dizaine de marches lorsque, tout à coup, CRAK ! Une planche s'est cassée. J'ai fermé les yeux et j'ai sombré dans la crevasse.

Deux mètres plus bas, mes fesses ont percuté un sol de terre battue. Je m'attendais à retrouver le bric-à-brac habituel d'un sous-sol, un ramassis d'outils rouillés et de magazines abandonnés, quoi. Quand j'ai ouvert les paupières, une toute autre surprise m'attendait...

J'avais échoué sur le plancher d'une hutte ensoleillée. Au-dessus de moi, il n'y avait aucune trace du fichu escalier.

Je ne voyais qu'un toit de paille qui ne semblait même pas percé. Où est-ce que j'étais tombée?

Au centre de la pièce, une marmite bouillait à grand feu. Ça sentait la réglisse noire, le clou de girofle et la patate pourrie. De la fumée mauve montait dans l'air. Puis, suivant une trajectoire qui défiait toutes les lois scientifiques, le jet décrivait quelques cercles avant de s'échapper par la fenêtre ouverte.

À l'extérieur, j'apercevais des arbres immenses aux troncs envahis de mousse. Cette forêt ancienne et ombrageuse ne ressemblait pas du tout aux bois pleins de sapins qui entouraient Saint-Philémon... Comment était-ce possible?

La cuisine poussiéreuse était jonchée de bocaux étranges. Près du feu, un pot de verre sautillait en s'éloignant des flammes. Oubliée à côté de l'évier, une mini tornade faisait rage dans une jarre de confiture. Posée sur le sol à deux pas de moi, il y avait une bouteille remplie d'un liquide visqueux et jaunâtre dans lequel un œil bleu se promenait comme un poisson rouge.

Au milieu de ce bazar, Hortense Craquepote farfouillait dans une armoire incrustée de signes incompréhensibles.

— Voyons... voyons..., a-t-elle dit pensivement. Où ai-je bien pu mettre ce pot de poils de puces?

J'avais trop peur pour articuler le moindre mot. J'entendais Hortense tripoter ses pots de verre, mais j'étais incapable de bouger le petit doigt.

— Ah, le voilà! s'est-elle exclamée, satisfaite. J'aurais dû y penser! Juste derrière ma fiole de pets de rats!

En refermant son armoire, la dame au chapeau d'épouvantail m'a aperçue.

— Ah! Pénélope, te voilà déjà! C'est bien, très bien... J'étais justement en train de trouver une solution à notre problème de croquepattes...

J'avais les yeux ronds comme des melons et je ne pouvais toujours pas émettre un son. Hortense n'avait pas ce problème. Elle parlait pour deux.

— Les croquepattes, c'est très embêtant ! a-t-elle continué en brassant sa potion. Ma cousine Géraldina en a eu, l'année passée. Tu aurais dû voir les dégâts ! Quand elle a finalement réussi à les chasser, il y avait tellement de trous dans sa maison qu'on aurait dit un fromage gruyère. Ha ! Ha !

J'ai trouvé le courage de me lever.

— Où est-ce que je suis ? Qu'est-ce qui m'est arrivé ?

Hortense m'a regardée comme si elle sortait d'un rêve.

— Mais bien sûr, a-t-elle dit en se tapant le front, où sont mes manières ? Viens t'asseoir, je vais t'expliquer...

De son doigt crochu, elle m'a indiqué une minuscule table placée contre une fenêtre. Imaginez-vous que les chaises en bois étaient plus petites que celles utilisées par Magalie pour prendre le thé avec son raton imaginaire!

Je me suis avancée en hésitant. À l'extérieur, j'ai vu un jardin en friche où citrouilles et courgettes poussaient en pagaille. Mais le paysage était le dernier de mes soucis! Comment allais-je réussir à m'asseoir là-dessus?

Pour ne pas contrarier mon hôte, je me suis accroupie sur un siège. J'allais être ridicule, mes genoux collés au menton et mes mains touchant par terre! Mais, dès que j'ai posé mes fesses sur le banc, les pattes de bois se sont étirées, étirées, étirées... jusqu'à atteindre la hauteur parfaite. *Ça parle au diable!* ai-je pensé alors qu'Hortense prenait place devant moi.

Pas du tout impressionnée, la bonne femme s'est tournée vers sa marmite pour marmonner:

— *Besse leba rebi kiou.*

Les flammes sous le chaudron se sont éteintes et ma bouche s'est affaissée.

— Vous... vous... vous êtes une sorcière, ai-je bégayé en reculant sur mon tabouret.

Hortense Craquepote a plissé son nez bosselé.

— Je préfère le terme « travailleuse autonome de la magie ».

C'est bien ce que je disais : « sorcière » ! Mais j'ai fait un nœud dans ma langue et je l'ai laissé continuer :

— Tu te trouves à Chaudron-Fumant. Un village de la région de Soracie.

J'avais beau essayer de me rappeler mes leçons de géographie, ce nom ne me disait rien. À voir mes yeux plissés, Hortense a compris que j'avais besoin d'éclaircissements.

— Tu es dans le monde d'Ezérion. Un univers soumis aux lois de la magie.

Dans ma tête, des milliers de questions éclataient comme du maïs soufflé. J'ai finalement réussi à baragouiner :

— Com... com... comment ai-je fait pour atterrir ici ?

Hortense a bombé le torse.

— Ah ! Je suis contente que tu me le demandes ! Ce n'était pas facile... mais j'ai pu créer un passage secret entre l'escalier de ton sous-sol et ma maison... C'est très pratique pour pouvoir se rejoindre rapidement !

— Ah, je vois, ai-je dit, c'est donc par là que les croquepattes se sont faufilés chez moi.

Hortense a agité son doigt poilu dans les airs.

— Mais non, pas du tout ! Ce passage ne peut être utilisé que si on a la bonne clé : les bottines d'Hectorine ! Les croquepattes, eux, n'étaient pas chaussés !

Je comprenais encore moins, si c'est possible...

— Ok... mais alors, d'où viennent ces sales bestioles?

La drôle de sorcière a soupiré.

— Il existe un autre passage, a-t-elle dit, son visage soudain assombri. Et celui-là ne requiert pas de clé... Il s'agit d'une brèche entre nos deux mondes, que n'importe qui – ou n'importe quoi – peut emprunter. Heureusement, j'ai réussi à émettre un charme d'avertissement. Aussi, lorsque quelque chose parvient à se faufiler entre les mondes, toi et moi, on a l'impression que le temps s'arrête. C'est comme ça qu'on sait quand il y a un pépin...

Un pépin! Méchant pépin, en effet! Je voyais d'ici des hordes de créatures repoussantes envahir Saint-Philémon. J'ai pensé à ma petite Magalie qui avait déjà si peur du monstre imaginaire sous son lit.

— Mais c'est terrible! Il faut faire quelque chose! Ma... Ma... Ma famille...

Hortense m'a fait signe de me calmer.

— Tut, tut, tut! Ne t'inquiète pas. Allons! Il y a des centaines d'années que je garde cette brèche et, jusqu'à maintenant, tout ce qui a réussi à traverser, ce sont de tout petits mitembules, deux ou trois verracrus...

— ... et d'horribles croquepattes, ai-je complété avec un peu trop de culot, je dois l'admettre.

Hortense ne s'est pas fâchée. D'un air pensif, elle a plutôt répété:

— Oui... des croquepattes... Ce qui est vraiment étrange, parce qu'il n'y en a pas dans la région où se trouve la brèche... Enfin, il faut s'attendre à ce que de petits insectes traversent parfois la frontière. Un bête accident. D'ailleurs, c'est pour cela que tu es postée de l'autre côté. Tant que les mages ténébreux ne découvrent pas l'existence de cette fissure, on n'aura pas trop de problèmes...

Plusieurs choses m'inquiétaient dans le discours d'Hortense.

— Euh... pourquoi dites-vous que je suis « postée de l'autre côté » ?

Avec tout le charme dont elle était incapable, la sorcière m'a lancé un affreux sourire :

— Parce qu'on forme désormais une équipe, ma petite Pénélope ! On est les gardiennes de cette satanée brèche et on doit s'assurer que les humains restent d'un côté, et les créatures magiques de l'autre !

Vous pouvez sans difficulté imaginer la mine que j'avais ! Je fixais Hortense en clignant des yeux. Je ne pouvais même pas articuler une syllabe !

Ma nouvelle coéquipière a eu pitié de moi.

— Ne t'en fais pas, m'a-t-elle conseillé en me tapotant l'épaule de sa main crochue. Hectorine a fait exactement la même tête lorsque je lui ai annoncé la bonne nouvelle ! Tu vas t'habituer à l'idée, et je vais te montrer quelques astuces de ma profession.

Sur l'effet de l'excitation, j'ai retrouvé ma langue :

— Est-ce que ça veut dire que j'ai des pouvoirs magiques ?

Je me voyais déjà en train de voler sur mon balai. Mais Hortense m'a vite fait descendre de mon nuage.

— Non, désolée, il n'y a pas une once de magie en toi. Pas même un petit grain sec.

Rien à faire. La journée était un fiasco total.

— Mais cela ne veut pas dire que tu ne peux pas utiliser d'objets magiques, a précisé Hortense en se levant.

La sorcière s'est dirigée vers un comptoir où traînaient des jarres remplies de liquides colorés. Certaines solutions faisaient des bulles, d'autres grouillaient de manière inquiétante... Pour tout dire, je préférais ne pas trop regarder.

— Je vais commencer par te montrer comment concocter un mélange anticroquepattes, a-t-elle lancé joyeusement en farfouillant parmi les pots. Voyons, voyons...

Hortense s'est mise à se gratter le cuir chevelu en ébouriffant son chignon sec comme une laine d'acier.

— Je le cherche toujours, celui-là! Où ai-je encore mis ce bocal de larmes de poisson?

Elle a dû éloigner du revers de la main un escargot baveux, nettoyer de nombreuses toiles d'araignées et souffler sur une couche de poussière solidement agglutinée... Mais après quelques minutes, la drôle de bonne femme s'est tournée vers moi en haussant les épaules.

— J'ai bien peur qu'il nous manque un ingrédient pour la recette. Il faut aller le chercher. Viens, on va faire une petite balade. Voilà une excellente occasion de te faire visiter Chaudron-Fumant !

Chapitre 3

Chaudron-Fumant

Hortense m'a emmitouflée dans un manteau mauve avant de m'enfoncer un bonnet de laine vert sur la tête. Alors qu'elle allait pousser la porte de bois, elle s'est tournée vers moi :

— Si on te demande quoi que ce soit, m'a-t-elle conseillé, dis que tu es ma cousine, Varvarine Craquepote. Elle est reconnue pour être bête et méchante. Ainsi, on te laissera tranquille !

Sur cette recommandation insolite, on a franchi le seuil de sa cabane.

Dès que j'ai mis les pieds dehors, le vent d'automne m'a giflée sans vergogne. Au revoir, canicule ! Autour de moi, des arbres noirs et noueux levaient vers le ciel leurs branches qui ressemblaient à des bras de squelette. À côté de leurs troncs immenses, les chaumières qui parsemaient la rue de terre battue ressemblaient à des champignons égarés.

On a traversé le parterre d'Hortense. Des herbes folles et des citrouilles bosselées poussaient à gauche et à droite de l'allée qui menait au chemin.

Tandis qu'on était sur le point de s'élancer sur les sentiers de Chaudron-Fumant, ma drôle de compagne s'est arrêtée si net que j'ai foncé dans son arrière-train. Sans s'occuper des excuses que je bredouillais, elle a levé son nez crochu et s'est mise à renifler comme un épagneul.

Qu'est-ce qu'elle flairait? J'allais le lui demander lorsqu'un attroupement d'une dizaine de personnes est apparu au détour du sentier.

— Montre-toi, espèce de scélérat! criait une femme toute rouge.

— Vaurien ! hurlait un homme rond comme une montgolfière. On va t'enlever le goût de vendre des potions bidon !

Enragée, la meute de villageois avançait d'un bon pas. Mais, en passant devant nous, une femme au physique d'échalote s'est arrêtée pour saluer Hortense.

— Tu ne devineras jamais qui a eu le toupet de se montrer à Chaudron-Fumant, a-t-elle commencé, indignée. Varnassius Crapu lui-même ! Il est arrivé ce matin dans son tas de ferraille roulant et il a réussi à arnaquer Proserpine Grago en lui vendant un faux élixir de jeunesse.

— C'est terrible ! s'est écriée Hortense. J'espère que vous allez le coincer...

— J'y compte bien, Hortense, j'y compte bien..., a répété la femme d'un air grave avant de s'en aller au petit trot.

Un sourire niais étampé au visage, Hortense lui a fait au revoir de la main.

Dès que l'échalote est disparue au détour d'un sentier, la sorcière s'est tournée vers une citrouille qui se trouvait à ses pieds. D'un coup de botte, elle l'a envoyée rouler. Pourquoi avait-elle fait ça? J'ai baissé les yeux. En dessous du potiron, il y avait un visage d'homme, rond et plat comme un cinq sous!

— Allez, Varnassius, a grogné Hortense, sors de là!

Le corps de l'intrus s'est mis à se gonfler, se gonfler... comme un ballon qu'on souffle pour la plage. J'ai peut-être fait deux ou trois pas vers l'arrière. Hortense, elle, attendait les bras croisés et le pied droit battant la terre. Au bout de quelques instants, un drôle de bonhomme se tenait devant nous.

Varnassius Crapu faisait partie de ces individus qu'on aimerait saisir avec des pinces pour les tremper de force dans un bain d'eau savonneuse. Il avait des cheveux crasseux attachés en queue de cheval et une veste en cuir probablement infestée de poux. Pour compléter ce charmant portrait, ses petits yeux de rat malhonnête furetaient tout autour. On aurait dit qu'il cherchait une échappatoire...

— Hortense Craquepote, quelle bonne surprise! a finalement susurré l'homme en ouvrant les bras.

— La surprise, a répondu froidement Hortense, c'est plutôt moi qui l'ai... Qu'est-ce que tu faisais caché sous ma citrouille, espèce de vieille fripouille?

Varnassius s'est dandiné sur un pied, puis sur l'autre.

— Écoute, Hortense, c'était une erreur de revenir ici. Décidément, les gens de Chaudron-Fumant n'ont pas le sens de l'humour...

Hortense tapait toujours du pied.

— Et depuis quand est-ce drôle de lancer sur un village entier un sortilège de poils de nez bioniques? Savais-tu que Malius Babonne a dû se faire des tresses nasales pendant deux semaines? Et que madame Peperpouet souffrait d'une grippe affreuse? Je t'épargne les détails...

Varnassius a levé les bras au ciel.

— Mais j'ignorais que cet enchantement aurait cet effet-là! Laisse-moi partir et tu n'entendras plus jamais parler de moi, promis. Allez, Hortense, en souvenir du bon vieux temps...

De ses yeux en fentes, la sorcière l'a fixé un long moment. Elle a fini par répondre:

— C'est ton jour de chance: j'ai d'autres affaires qui m'attendent. Disparais et arrange-toi pour que je ne te voie plus. La prochaine fois que tu oses te montrer à Chaudron-Fumant, je vais m'occuper moi-même de ton cas...

Varnassius Crapu a sorti un sac noir de son veston. Il y a plongé la main pour prendre une pincée de poudre rose qu'il a saupoudrée sur ses cheveux crasseux. Immédiatement, il s'est mis à pâlir, pâlir... jusqu'à disparaître entièrement.

— Merci, Hortense, tu ne le regretteras pas! a lancé la voix nasillarde qui s'éloignait sur le sentier.

J'avais beau agrandir les yeux, je ne voyais plus du tout cet affreux pouilleux...

— Wow! me suis-je exclamée. Il est devenu invisible!

La sorcière a haussé les épaules.

— Je saurais le repérer n'importe où juste à son odeur de hareng moisi... Allez! On a assez perdu de temps avec lui! On doit s'occuper de ces satanés croquepattes...

Hortense m'a saisie par la manche pour m'entraîner sur les chemins de Chaudron-Fumant. La sorcière avançait à grandes enjambées en faisant claquer ses souliers contre les cailloux. Je peinais à la suivre. Une ou deux fois, je lui ai marché sur les talons, oups !

Il faut dire que j'étais pas mal distraite. Le décor me fascinait et je me cassais le cou pour observer les étranges chaumières qui poussaient à l'ombre des arbres tordus. Là, une maisonnette avait été creusée dans un tronc gigantesque, alors qu'ici, une autre disparaissait sous un épais tapis de mousse. Plus haut, une cabane était suspendue à une branche ; plus bas, une mystérieuse trappe menait à une demeure souterraine. Mais le plus stupéfiant restait à venir…

À la jonction des deux chemins, une énorme citrouille avait poussé. Et quand je dis énorme, je veux dire VRAIMENT ÉNORME ! D'ailleurs, quelqu'un l'avait tailladée afin de s'en faire une maison ! À l'extérieur, un écriteau planté de travers dans une touffe de fougères annonçait :

« Aubépine Delacourge, ingrédients magiques en vrac ».

— On y est ! m'a appris Hortense en désignant la portière qui menait au potiron. Après toi !

Jamais je n'aurais cru un jour marcher dans un légume ! Je m'attendais à devoir me frayer un chemin parmi les pépins et les filaments gélatineux. Mais, à ma grande surprise, l'intérieur respirait l'ordre et la propreté. À part la couleur orangée des murs et la forme ronde de l'habitation, on se serait cru dans n'importe quel magasin... Enfin, peut-être pas n'importe quel. Parce que, derrière le comptoir où se tenait une dame en robe fleurie se trouvaient des étagères pleines de jarres étiquetées de noms bizarres : « Vers de mer du désert », « Gouttelettes de nuage saharien », « Ailes de chat sauvage », « Barbiche de mémé folle à lier »... Et je vous jure que, dans un des pots, j'ai vu flotter des orteils poilus aux ongles verts...

D'un pas hésitant, je me suis approchée de la petite femme. Elle était penchée sur un épais grimoire et ne nous avait pas entendues entrer. Hortense s'est raclé la gorge :

— Humm, humm !

Aubépine Delacourge a sursauté et son gros livre s'est refermé en claquant.

— Hortense, c'est toi ! a-t-elle dit d'un air soulagé. Tu m'as fait peur !

— Tu as l'air préoccupée, Aubépine. Que se passe-t-il ?

— Oh, ce n'est rien, ce n'est rien. J'ai eu la mauvaise idée d'acheter une potion à ce filou de Varnassius Crapu. Elle était censée protéger ma maison contre la pourriture... mais depuis que j'ai appliqué l'onguent, j'ai commencé à voir des taches brunâtres apparaître sur mes murs ! Ça m'apprendra à acheter quoi que ce soit d'un marchand ambulant ! Depuis ce matin, j'essaie de trouver un contre-sort dans mon recueil de potions familiales.

Hortense a hoché la tête.

— Varnassius est une vraie crapule...

— C'est la dernière fois que je me fais prendre, a soupiré Aubépine. En attendant, qu'est-ce que je peux faire pour toi, Hortense?

— J'aurais besoin de larmes de poisson.

— Oui, oui... ce ne doit pas être loin.

La petite femme est disparue derrière l'étagère. Sa voix nous parvenait, assourdie:

— Des larmes de poisson... C'est plutôt rare. Cela ne sert qu'à chasser les marmarions ou les croquepattes. Mais nous n'avons pas de ces bestioles dans la région...

Hortense avait l'air embêtée. Visiblement, elle ne voulait pas dévoiler notre secret...

— Euh, euh... ma cousine et moi, on se prépare pour un voyage aux frontières de la région du Tremor. On ne veut pas courir de risque…

Aubépine est revenue avec une petite fiole. Elle l'a tendue à Hortense en s'exclamant :

— Quelle drôle d'idée que de voyager dans ces contrées-là !

Hortense lui a donné quelques piécettes en marmonnant :

— On a de la famille dans le coin…

Aubépine m'a alors regardée attentivement.

— Je vous demande pardon… Nous n'avons pas encore été présentées… Aubépine Delacourge… et vous êtes ?

J'ai lancé un coup d'œil à Hortense avant de murmurer :

— Euh… Varvarine… Varvarine Craquepote…

Aubépine m'a dévisagée comme si elle venait d'avaler son bocal d'orteils poilus. Elle nous a souhaité un « excellent voyage », en tenant la porte du magasin grand ouverte. Dès qu'on a mis les pieds dehors, j'ai entendu un claquement sec et le cliquetis d'un verrou. La cousine d'Hortense avait décidément une affreuse réputation !

On a repris les sentiers ombrageux de Chaudron-Fumant. Au loin dans la brunante, j'ai cru voir une petite créature ailée se promener dans les bois. J'ai pensé à la tête que ferait Magalie si elle était avec moi.

Lorsqu'on a finalement poussé la porte de sa hutte, Hortense a eu l'air soulagée.

— Bon, a-t-elle dit en se frottant les mains, on va finir cette potion, massacrer ces croquepattes, et ce sera tout pour aujourd'hui.

Elle venait à peine de déposer les larmes de poisson sur la table lorsqu'un rugissement sourd s'est élevé derrière sa marmite bouillonnante. C'était vraiment un son épouvantable ! On aurait dit le grognement d'un tigre asthmatique.

Je vous assure toutefois que la créature qui est alors apparue n'avait rien d'un gracieux félin...

Chapitre 4

L'attaque du scarlion

L'horrible bête était entièrement recouverte d'épines noires et luisantes. Une dizaine de pattes puissantes s'échappaient de son corps sphérique et une bouche ressemblant à celle d'une énorme sangsue traversait son ventre.

La créature nous toisait de ses yeux jaunes. Lorsqu'elle s'est remise à grogner, je me suis cachée derrière Hortense. Je n'avais jamais rien vu d'aussi terrifiant! À côté de cette chose, les croquepattes paraissaient mignons comme tout.

— Un scarlion! s'est écriée la sorcière en enlevant son chapeau. Qu'est-ce que ce truc immonde fait ici?

J'ignore si les scarlions ont des oreilles, mais en entendant les insultes de la sorcière, la bestiole a rugi encore plus fort. Ses épines ont rougi. Puis, elles se sont mises à trembler et à se gonfler de façon menaçante... L'inévitable s'est produit: d'un coup, les dards de la bête ont fendu l'air vers nous, comme des flèches.

— *Bouclipeau!* a lancé Hortense en agitant son chapeau d'un coup sec.

Pouf! Le couvre-chef de la sorcière venait de se transformer en énorme bouclier. Autour de nous, les épines de la bête fusaient. Je me suis blottie derrière le rebord de paille pour échapper aux projectiles. Maintenant, je savais pourquoi le chapeau d'Hortense avait l'air d'avoir fait la guerre!

Lorsque l'attaque a cessé, Hortense s'est tournée vers moi:

— Tu vas nous servir d'appât. Cours vers la sortie pour faire diversion! Quand le scarlion va bondir sur toi, je vais le capturer.

Quoi? Elle me prenait vraiment pour une imbécile!

— Pas question!

Hortense a esquissé un sourire malicieux.

— Tu veux te charger de l'attraper?

— Non, non!

— Alors, qu'est-ce que tu proposes?

Rien. Je n'avais absolument rien à proposer. Hortense le savait très bien. Derrière notre abri de fortune, j'entendais les pas du scarlion qui s'approchait prudemment… Il fallait prendre une décision, et vite.

— C'est bon, ai-je dit à contrecœur. Je vais y aller.

Je me suis tournée vers l'entrée. Dire que j'aurais dû être en train de déguster un lait frappé à Saint-Philémon ! J'avais tellement peur que je me sentais malade. Je tremblais plus qu'une cymbale qu'on vient de frapper. Je ne savais pas si mes jambes allaient pouvoir me supporter.

Dès que je suis sortie de derrière le bouclier, la bête m'a prise en chasse. J'ai couru aussi vite que j'ai pu. Dans mon dos, j'entendais des grognements carnassiers. Je pensais pouvoir réussir à atteindre le seuil de la cabane et à fermer la porte derrière moi. Mais à deux pas du but, je me suis empêtrée dans mes bottines, et me suis étalée de tout mon long.

En deux bonds, le scarlion était à mes côtés. Je me suis retournée en hurlant. Juste à temps pour le voir se tenir en l'air sur trois de ses pattes et se préparer à abattre sur moi son horrible gueule dentée… Je croyais ma dernière heure arrivée lorsque la voix d'Hortense a tonné dans la hutte :

— *Dan lakaje legreau poua lu !*

D'un coup sec, Hortense a renversé la table de la cuisine sur le dos de la bête. PAF ! Au lieu de se briser en mille miettes en assommant notre ennemi, le meuble s'est transformé en cageot. Le scarlion était maintenant prisonnier derrière de solides barreaux de fer et il mugissait de mécontentement.

Je me suis relevée, le cœur battant comme un tam-tam africain. Hortense était déjà partie en direction de sa grande armoire. J'étais soulagée, sauf que...

— Hortense, ai-je bégayé en observant la bestiole, on dirait que ses épines sont en train de repousser...

La sorcière farfouillait parmi ses pots de verre.

— Oui, oui... les scarlions sont vraiment coriaces. Mais on va régler le problème une bonne fois pour toutes...

Elle a saisi une jarre remplie d'une curieuse fumée verte.

— Ah, la voilà !

Hortense s'est approchée de la cage, puis elle s'est penchée en me faisant un clin d'œil.

— J'espère que tu vas apprécier mon prochain sortilège : il s'agit d'un grand classique.

La bête grognait de rage. Cela n'a pas impressionné Hortense, qui a ouvert le pot pour souffler l'étrange gaz dans sa direction. Les dards de la créature se remettaient à rougir alors que la sorcière scandait mélodieusement :

— *Vairetoubo, vairetoubo, sotiye mon bonigo !*

La fumée a virevolté entre les barreaux. Très vite, elle a rempli la cage. Je ne voyais plus la bête, mais j'entendais le son râpeux de ses épines frottant contre les barreaux métalliques. Un grognement étouffé a retenti à travers le nuage, puis plus rien. Lorsque les volutes verdâtres se sont dissipées, l'horrible scarlion ne s'y trouvait plus. À sa place, il y avait un crapaud criblé de verrues.

Hortense souriait, fière de son coup. D'un œil attendri, elle a regardé le petit amphibien bondir entre les barreaux.

— Il est mignon, n'est-ce pas ? m'a-t-elle lancé comme le batracien se sauvait par la fenêtre.

En le voyant sautiller au milieu du parterre en friche, une note d'inquiétude a tout de même percé dans la voix d'Hortense :

— J'espère seulement que personne n'aura l'idée de l'embrasser..., a-t-elle fait remarquer en grattant pensivement son menton velu.

La sorcière l'a regardé détaler avant de hausser les épaules et de se diriger vers son chaudron.

— Ah, non! a-t-elle vociféré en se penchant au-dessus de la marmite. C'est ce que je craignais! Notre potion est complètement gâchée... Elle est pleine de dards de scarlions! Maintenant, c'est tout juste bon à faire de la soupe!

Aïe! Cette histoire commençait à me tourmenter sérieusement. À leur retour de la crèmerie, papa et Magalie risquaient d'être accueillis par un comité de croquepattes... Tout à coup, j'ai eu peur de ne plus jamais les revoir. Et dire que j'avais fait la tête toute la semaine!

— Il faut refaire de la potion, et vite! Ma famille va bientôt revenir du village!

— Oh! Non, non, non..., a ricané Hortense. Le temps ne s'écoule pas de la même façon dans ton monde. Ton père et ta sœur ne sont même pas encore rendus à la crèmerie! Notre problème de croquepattes peut attendre...

J'ai senti l'air entrer de nouveau dans mes poumons. Mais Hortense, elle, semblait préoccupée par autre chose. Elle regardait sa potion d'un œil songeur.

— Il va falloir qu'on fasse enquête, a-t-elle murmuré.

— Une enquête sur quoi? ai-je voulu savoir.

La sorcière m'a fixée de ses yeux gris comme des galets.

— Je trouvais déjà bizarre que *quatre* croquepattes aient franchi la brèche en même temps. Mais cette attaque de scarlion me confirme qu'il se passe des choses étranges...

Franchement, je ne voyais pas comment ces bestioles magiques étaient plus «étranges» qu'Aubépine vivant dans sa citrouille ou Varnassius Crapu qui était disparu sous mes yeux... Hortense m'a alors expliqué:

— Les croquepattes, les scarlions, les saringues-volantes... Ces bêtes vivent avec leurs maîtres dans le Tremor. Il s'agit d'une région sauvage qui fourmille de créatures dangereuses. Mais ces bestioles hideuses ne s'aventurent jamais en dehors de leur territoire. Depuis la guerre des Mors, il leur est interdit de voyager hors de leurs frontières. Si elles se font prendre, c'est l'emprisonnement à perpétuité dans les caveaux de la mine du Dazar... un endroit pas très sympathique, crois-moi!

— Mais alors, ai-je demandé, qu'est-ce que ce scarlion faisait chez toi?

— C'est bien ce que je voudrais savoir, m'a répondu Hortense en hochant la tête.

D'un geste de la main, la sorcière m'a fait signe de la suivre.

On est sorties de sa hutte. À l'extérieur, le soleil se couchait sur Chaudron-Fumant et les vieux arbres étendaient leurs ombres crochues sur le parterre jonché de citrouilles. Hortense m'a entraînée sur un sentier de pierre qui longeait sa demeure. C'est alors qu'elle a marmonné :

— On va se rendre dans le Tremor afin de découvrir ce qui s'y passe. Mais avant, il faut qu'on se prépare...

À l'arrière de la maisonnette, un terrain à l'abandon se tenait à l'orée d'une forêt sombre. La cour d'Hortense comprenait un jardin rempli de végétaux inusités et une cabane en bois qui ressemblait à... à... à une vieille bécosse, il n'y a pas d'autres mots.

Je suivais Hortense avec peine. Il m'aurait fallu une faux pour cheminer à travers ce gazon broussailleux! J'ai rattrapé la sorcière alors qu'elle arrivait au potager. Sur ses talons, j'ai traversé un carré de patates roses ainsi qu'un lopin de radis sauteurs. Lorsque j'ai compris que la sorcière m'entraînait tout droit vers la toilette, je me suis mise à bégayer:

— Euh... euh, ça va aller... je n'ai pas besoin de... de...

— Chut! m'a ordonné Hortense en mettant sa main sur la porte du... euh... cabinet d'aisances.

En jetant un œil suspicieux aux alentours, la sorcière a arraché le pommeau de bois d'un coup sec. Elle l'a ensuite enfoncé dans un petit trou en haut de la porte. La sorcière s'est encore arrêtée pour humer l'air de son long nez. Lorsqu'elle a été certaine qu'aucun intrus n'était dans le coin, elle a tiré sur le bouton. La portière s'est ouverte comme un rabat. J'allongeais le cou pour fureter dans la cabane quand Hortense m'a saisie par la manche et m'a poussée à l'intérieur.

Je pensais atterrir, tête première, dans un immonde bol de toilette. Imaginez ma surprise lorsque je me suis retrouvée dans les cuisines d'un vieux château de pierres. Comment était-ce seulement possible ? Au milieu de chaudrons bouillonnants et d'herbes suspendues, une vingtaine de petites créatures s'affairaient au-dessus de fioles colorées ou de mixtures odorantes.

— Nous voici au magicolab ! s'est exclamée Hortense avec fierté. C'est ici que mes Mirmitons travaillent à inventer les armes et sortilèges qui nous permettront de mener à bien nos missions.

En apercevant Hortense, les bonshommes mauves ont laissé tomber leur ouvrage pour s'attrouper près de nous. Les Mirmitons m'arrivaient au genou. Trois paires d'yeux superposées et coiffées de lunettes trônaient sur leur caboche rectangulaire... Ces petits êtres ne possédaient pas de bouche. Mais, même si je ne percevais aucun son, la sorcière semblait répondre à leurs questions :

— Oui, oui, moi aussi je suis contente de vous voir... Je vous présente Pénélope. Oui, c'est bien ça: elle est la petite-nièce d'Hectorine... Ne t'en fais pas pour ton élixir, Néné, rajoute un peu de bouillon de roche et ça devrait fonctionner.

Au bout d'un instant, Hortense est passée aux choses sérieuses:

— Pénélope et moi, on doit se rendre dans la région du Tremor. On va avoir besoin de poudre contre les saringues-volantes et d'une paire de gants repousse-charme.

Les Mirmitons sont partis au pas de course. Dans un brouhaha indescriptible, ils ont repêché parmi le capharnaüm du laboratoire les objets demandés. Alors qu'ils tendaient à Hortense un petit sac gris et une paire de gants verts, elle leur a lancé:

— Merci à tous!

Puis, elle s'est penchée vers l'un des petits hommes mauves.

— Riri, a-t-elle dit, je veux que tu fasses parvenir ce message à Physicius Hocus. N'utilise pas la magie et sois discret, c'est de la plus haute importance.

La main osseuse d'Hortense a tendu un parchemin roulé au Mirmiton. Avant que j'aie eu la chance de lui demander de quoi il s'agissait, la sorcière m'a saisie par la manche pour me tirer vers la sortie.

En passant la porte de bois, on s'est immédiatement retrouvées dans le jardin aux patates roses. Hortense me tenait encore par le bout du chandail. Moi, j'en avais assez de me faire mener par le bout du nez! J'ai explosé:

— Ça va, ça va, inutile de me traîner par la manche, je n'ai pas quatre ans!

Hortense s'est machinalement gratté le chignon.

— Oui, pardon, pardon... tu as raison. C'est juste que je ne voulais pas que tu te perdes. Dans ce château, il y a des recoins pas très recommandables...

D'un signe vague de la main, je lui ai fait comprendre que ce n'était pas grave. Quelque chose d'autre me préoccupait.

— Je veux rentrer chez moi.

Pour la première fois depuis que je l'avais rencontrée, Hortense avait l'air déboussolée.

— Tu... tu ne viens pas avec moi? Tu sais, j'aurais bien besoin d'un coup de main...

— Quel genre d'aide puis-je t'apporter? Je ne connais même pas la magie! Non, je veux retourner avec ma famille, je n'ai rien à faire ici.

Hortense m'a fixée un moment. Elle faisait le même air que mon père quand j'avais refusé d'aller à la crèmerie.

— Bon, c'est comme tu veux. Rentre dans la cabane, place-toi exactement à l'endroit où tu es arrivée et frappe trois fois le sol du pied droit. Tu te retrouveras dans l'escalier de la cave, chez toi.

Hortense m'avait déjà tourné le dos. Je l'ai arrêtée d'une voix hésitante :

— Et les croquepattes... ils vont être partis, n'est-ce pas ?

La sorcière s'est retournée, ses sourcils broussailleux soulevés par la surprise.

— Pourquoi seraient-ils partis ?

— Je... je...

— Ce n'est pas parce que tu abandonnes une tâche que le problème se règle pour autant ! Bien au contraire !

J'ai soupiré.

Le soleil descendait de plus en plus près de la ligne d'horizon. Dans le ciel, les premières étoiles venaient d'apparaître et des hululements nous parvenaient de la forêt obscure. Hortense a mis sa main sur mon épaule pour me demander de sa voix atrocement rocailleuse :

— Je pars pour le Tremor, Pénélope. Est-ce que tu t'envoles avec moi?

Chapitre 5

Sur la route du Tremor

M'envoler? Ma mauvaise humeur s'est éclipsée d'un coup. J'étais vraiment excitée, mais aussi vaguement inquiète. Hortense allait-elle me transformer en albatros, ou nous faire grimper sur une abeille géante? À moins que...

— Est-ce qu'on va utiliser un balai? ai-je demandé en pensant qu'Hortense semblait aimer «les classiques».

La sorcière m'a regardée en plissant le nez de dédain.

— Jamais de la vie! Quel fou voudrait voler avec un manche de bois coincé entre les fesses?

Je ne savais pas quoi répondre. En deux phrases, Hortense avait détruit l'idée romantique que je me faisais des sorcières filant devant la pleine lune...

— Non, non, non! a-t-elle continué. J'ai bien mieux! Suis-moi.

Sans savoir à quoi m'en tenir, j'ai talonné Hortense qui se dirigeait vers un coin sombre de son jardin. On a enjambé un râteau rouillé qui gisait abandonné au milieu d'une allée, puis on s'est arrêtées devant un chou-fleur rabougri.

— Pstt, pstt! a chuchoté la sorcière en se penchant vers le légume. Lève tes feuilles: je viens chercher la voiture...

Une voix grave et hautaine s'est élevée vers nous:

— Ah! Hortense! Te voilà enfin. Je commençais à me demander. Il y a longtemps que tu ne m'as pas arrosé!

Prise en défaut, Hortense a baragouiné :

— Euh... oui, non, c'est-à-dire que... je te donnerai de l'eau en revenant de ma mission. Pour le moment, je dois vraiment partir.

Le chou s'est éclairci la gorge :

— Parce que tu sais que, selon la convention collective des légumes magiques, nous avons droit à deux arrosages par semaine et, même si je déteste me plaindre, je dois dire que dernièrement...

Hortense leva les yeux au ciel avant de répondre :

— Ça va, ça va ! Je te donnerai trois arrosages la semaine prochaine ! Quatre, même, si tu veux ! Mais je dois absolument partir, c'est une urgence !

— Bon, bon, a concédé le chou. D'accord, mais compte sur moi pour te rappeler ta promesse.

— Je n'en doute pas, a marmonné Hortense entre ses dents.

Les feuilles du chou se sont soulevées. En dessous était stationnée une voiture miniature. Il s'agissait d'une décapotable rouge cerise comme celles que les petits garçons font rouler au parc. La sorcière s'est penchée rapidement et l'a agrippée d'une main avide.

— Vite, montons à bord, m'a-t-elle lancé.

Je me demandais comment Hortense comptait s'y prendre. Mais lorsque son doigt crochu a saisi la poignée du conducteur, la voiturette s'est mise à vibrer, vibrer... et à grossir, grossir !

En quelques secondes, un magnifique bolide, grandeur nature, se tenait devant moi. Hortense a sauté derrière le volant. Sans faire de bruit, la voiture s'est alors mise à planer de quelques centimètres au-dessus du sol.

— Eh bien, Pénélope, tu montes ?

Le temps d'un éclair, je me suis demandé si je ne ferais pas mieux de tenter ma chance avec les croquepattes... Finalement, je suis sortie de mon état de stupeur pour grimper du côté passager.

J'étais en train d'attacher ma ceinture lorsque la voix du chou a résonné dans mon dos :

— N'oublie pas, Hortense. Tu m'as promis quatre arrosages !

La sorcière a soupiré tout en écrasant l'accélérateur.

— Oui, oui, compte sur moi ! a-t-elle lâché comme la décapotable s'enfuyait à toute allure dans le ciel assombri.

On filait au-dessus de Chaudron-Fumant. C'était fabuleux, mais ma compagne de voyage avait l'air maussade. Je ne me sentais pas non plus d'humeur à faire la conversation...

— Il va falloir que je change de garage... Ce chou plaignard m'ennuie chaque fois que je dois sortir !

Là-dessus, pendant des heures, on a survolé une forêt sans fin. La lune orangée éclairait le ciel. De petits villages brillaient de temps à autre au milieu des bois sombres. Au bout d'un moment, mes paupières sont devenues lourdes. C'est gênant de l'avouer, mais j'ai fini par m'endormir.

Quand je me suis réveillée, la voiture continuait sa course dans le ciel. Hortense tenait le volant d'une main distraite, tandis que de l'autre, elle farfouillait parmi les objets que les Mirmitons lui avaient donnés.

— Ah, Pénélope ! Je voulais justement te demander de porter ceci, m'a dit la sorcière en me tendant une paire de gants verts. C'est pour ta protection...

J'ai enfilé les jolis gants qui montaient jusqu'à mes coudes. Je n'ai pas protesté. Pour « ma protection », j'aurais porté un pince-nez si Hortense me l'avait conseillé !

La nuit s'évanouissait et de nombreux cris d'oiseaux (enfin... je pense qu'il s'agissait d'oiseaux) s'élevaient jusqu'à nous. À notre droite, j'ai remarqué de hautes montagnes aux sommets enneigés.

— Voici la contrée d'Ismandre, a indiqué Hortense en pointant son menton dans cette direction. Très joli coin de pays... Un peu froid peut-être. De vieux amis à moi y vivent encore. Un jour, je t'emmènerai les visiter, si tu veux...

J'allais demander des explications sur notre itinéraire, lorsqu'un croassement assourdissant a résonné derrière nous. Simultanément, Hortense et moi, on a tourné la tête.

À quelques mètres du pare-chocs arrière, une énorme bête nous pourchassait.

Comment vous décrire cette abomination? Disons que ça ressemblait à un croisement mutant entre un iguane et un papillon. Je fixais la créature avec stupeur, et c'est peu dire. Elle a sorti sa langue fourchue pour la projeter dans ma direction. J'ai à peine eu le temps de me pencher. Cette espèce de langue de reptile venait de tenter de me harponner! Trente centimètres plus bas, et je me serais transformée en petit déjeuner...

Hortense s'est cramponnée au volant. La voiture a soudain piqué du nez.

— Ce mouchatou nous prend pour un glapo volant! Il va falloir se poser pendant un court moment. À l'aube, ces bestioles font la chasse et elles sont particulièrement affamées! Inutile de courir après les problèmes.

J'étais tout à fait d'accord !

L'iguane ailé nous poursuivait toujours. Heureusement pour moi, Hortense avait l'air d'en avoir vu d'autres ! Elle naviguait en maître et zigzaguait en fonçant vers la forêt. Au bout d'un instant, le mouchatou épuisé a abandonné la partie.

On a réussi à atterrir entre deux arbres au milieu d'une végétation sauvage. Cette forêt était beaucoup plus dense que celle entourant Chaudron-Fumant. Des lianes grimpantes encerclaient les troncs et d'immenses fleurs inconnues jonchaient le sous-bois.

J'étais sur le qui-vive. Allez savoir quelles bestioles maléfiques se cachaient dans ces bois ! Hortense, elle, paraissait plutôt calme. Alors que j'épiais les environs, peu rassurée, elle enlevait tranquillement son chapeau et posait ses pieds sur le volant.

— Je vais faire une petite sieste, m'a-t-elle informée en bâillant.

Surtout, ne fais pas de bruit, cela pourrait attirer les moratois…

La sorcière a déposé son couvre-chef sur son visage et croisé les mains derrière sa tête. Comment pouvait-elle dormir dans un moment pareil? J'avais bien trop peur des moratois pour le lui demander! Cet endroit devait grouiller de créatures toutes plus affreuses les unes que les autres. Hortense s'est endormie pendant que je scrutais anxieusement un bosquet à l'air louche…

Les nerfs à vif, je faisais le guet. Une dizaine de minutes s'étaient écoulées quand Hortense s'est mise à ronfler… Oui, vous avez bien lu! À ronfler. Et quel ronflement! Tous les moratois du coin devaient se diriger sur nous! J'ai saisi l'épaule d'Hortense et je l'ai secouée de toutes mes forces. Rien à faire. Elle continuait de vrombir comme un dix-roues…

J'ai chuchoté son nom, j'ai pincé son nez crochu, j'ai même tiré sur ses poils de menton… Je lui tapotais la joue lorsque les feuilles du fameux bosquet se sont agitées... *Oh non, pas ça,* ai-je pensé, *les moratois viennent de nous repérer!*

Chapitre 6

Des visiteurs inattendus

Pétrifiée par la peur, j'ai entendu des voix retentir dans le talus :

— Ouch ! Où sommes-nous apparus ? demandait une voix féminine très aiguë.

— Je ne comprends pas, répondait piteusement un homme. Nous

devrions pourtant être à la bonne place...

— Aïe, j'ai reçu une branche dans l'œil ! s'est plainte la femme à la voix stridente. La prochaine fois, c'est moi qui nous fais réapparaître. Désolée, Physicius, mais tu es incapable de bien viser !

En titubant, les inconnus sont sortis du buisson. Ils avaient l'air de touristes égarés. La grosse dame portait une robe en velours verte. Elle possédait des lunettes à la monture dorée et de nombreux bijoux ornés d'étranges fioles qui cliquetaient quand elle bougeait. L'homme, lui, était maigre et droit. Il était vêtu d'un costume trois-pièces noir. Ses longs cheveux gris pendaient, soigneusement coiffés, dans son dos.

Les nouveaux arrivants ont épousseté leurs habits, puis ont levé la tête. Tout de suite, nos regards se sont croisés.

— Tiens, tiens! a dit la grosse femme. Qu'est-ce que nous avons là? Allons voir de plus près...

Les pieds des deux intrus se sont soulevés de quelques centimètres du sol. Puis, ils se sont mis à... à... à flotter dans ma direction! Je me suis mise à tirer frénétiquement sur la manche d'Hortense. Mais cette fichue sorcière dormait comme un bébé!

Les inconnus sont arrivés près de nous dans le temps de dire «moratois». Alors qu'elle se posait près de la portière, l'étrangère a avancé sa main potelée vers Hortense. Je tremblais de frayeur. Qu'est-ce qu'ils nous voulaient, ces deux-là? Au moment où son ongle rouge passait au-dessus de la carrosserie, un éclair foudroyant s'est abattu sur la dame. D'un coup, celle-ci a été projetée dans les airs. Elle a finalement atterri... dans le buisson d'où elle venait d'arriver.

La décharge a *enfin* réveillé Hortense. En s'étirant longuement, ma compagne de voyage a replacé son chapeau et a regardé autour d'elle d'un air bourru.

— Bon... qu'est-ce que c'est? Qu'est-ce qui se passe encore?

Le capot de la voiture miroitait d'éclairs menaçants. L'homme a fait un pas en arrière en s'écriant:

— Hortense, Hortense Craquepote... C'est nous! Physicius et Bibiana! Tu peux désarmer ta voiture...

Hortense a secoué la tête.

— Ah! Oui, oui, Physicius..., a-t-elle répété en donnant trois petites tapes sur le volant.

L'engin a retrouvé son éclat habituel. Entre-temps, la grosse femme était sortie du buisson. Ses cheveux frisés tenaient en l'air comme si elle avait planté une fourchette dans une prise de courant.

— Je m'excuse, Bibiana, a lancé Hortense avec son pire sourire. Dans les endroits malfamés, tu sais bien qu'on doit toujours verrouiller son véhicule.

Sacrée Hortense ! Elle ne m'avait pas dit qu'un charme protégeait la décapotable... Je la soupçonnais même d'avoir inventé cette histoire de moratois. Elle cherchait probablement à me faire taire pendant sa sieste.

Bibiana s'est approchée en ajustant sa robe et ses bijoux.

— Physicius a reçu ton message..., a-t-elle déclaré froidement. Ces attaques des bêtes du Tremor ne pouvaient pas plus mal tomber. Ta coéquipière humaine n'a aucune expérience ! Et ce n'est pas cette paire de gants repousse-charme qui vont pouvoir l'aider !

Hortense a fait une grimace pour montrer tout le bien qu'elle pensait de ce commentaire.

Je n'avais pas besoin de pouvoirs magiques pour comprendre que les deux femmes se détestaient. Heureusement, l'homme aux cheveux gris est intervenu :

— Allons, allons... Commençons par nous présenter ! Cette charmante jeune fille ignore qui nous sommes.

Il a fait une brève révérence.

— Je m'appelle Physicius Hocus. Je suis un vieil ami d'Hortense. Cela fait maintenant des centaines d'années que notre confrérie secrète veille sur la brèche entre les deux mondes.

J'ai serré sa main en murmurant :

— Moi, c'est Pénélope.

Sa compagne m'a tendu ses doigts comme si j'avais la lèpre. Elle m'a jaugée d'un regard glacé. Entre ses dents, elle a finalement laissé tomber :

— Bibiana Goudi, enchantée.

Puis, elle a poursuivi :

— Alors, Hortense, as-tu une idée de ce qui peut se passer ? Des croquepattes qui traversent la frontière et un scarlion dans ta cabane, ce sont des événements pour le moins inquiétants...

Hortense s'est gratté le menton.

— Seul un Marmor saurait contrôler ces bêtes. C'est pourquoi on se rend dans le Tremor. J'ai un complice dans la région. Il s'appelle Dolack. Il pourra me dire si son clan est responsable des attaques.

De sa voix sèche, Bibiana a raillé :

— Cette théorie ne vaut pas un clou ! Les Marmors ne peuvent contrôler les créatures à distance. Et on l'aurait su si un de ces affreux bonshommes verts s'était baladé dans Chaudron-Fumant !

L'homme grisonnant a lancé à Hortense un regard perçant.

— Tu n'as rien remarqué d'étrange au village, n'est-ce pas?

— Non, a répondu la sorcière, à Chaudron-Fumant, tout baigne dans l'huile.

Ma langue s'est fait aller si vite que je n'ai pas pu l'arrêter à temps:

— Il y a bien ce Veracrus Trapu qui traînait dans les parages.

Les trois sorciers se sont mis à rire de bon cœur. Franchement, je ne croyais pas avoir fait une farce. Lorsqu'ils ont finalement repris leur souffle, Bibiana m'a dit du bout des lèvres:

— On voit que tu es jeune et que tu ne connais rien! *Varnassius Crapu* est un sorcier si lamentable qu'il est incapable de concocter un simple philtre d'amour. Il ne pourrait pas commander aux bêtes du Tremor, voyons! Je l'ai engagé dans mon château il y a quelque temps déjà. Il n'arrivait même pas à éloigner les mitembules du garde-manger!

Des ricanements ont encore fusé. J'ai croisé les bras. Comment j'aurais pu savoir ça?

Physicius a retrouvé son calme en premier.

— Je dois te dire, Hortense, que des rumeurs ont circulé dernièrement... Un Marmor aurait été vu à la frontière du Gorion en direction d'Alzador.

Hortense a gratté son chignon tout en regardant en l'air. De toute évidence, elle ne voyait pas le lien avec notre affaire.

— Bon, a-t-elle finalement tranché, la seule façon d'élucider cette affaire est d'aller à la source: le Tremor.

Physicius s'est éclairci la gorge:

— Euh... Hortense... À ce propos, crois-tu que ce soit une bonne idée de te rendre là-bas? Après le tour que tu as joué aux Marmors, ils ne t'accueilleront pas à bras ouverts...

De quoi parlait ce vieux bonhomme ? Bibiana a vu le point d'interrogation qui se dessinait sur mon front.

— Ha ! s'est écriée la grosse sorcière, je vois, Hortense, que tu n'as pas informé ta jeune amie de ton coup pendable…

Bibiana Goudi s'est tournée vers moi. Son visage brillait d'un plaisir malin.

— Imagine-toi, petite, qu'Hortense a eu la bonne idée d'aider un village que les habitants du Tremor voulaient envahir. Elle s'est faufilée dans la cité Marmor en faisant croire au chef Marmaruck qu'elle allait lui prêter main-forte. Mais la veille du combat, elle a versé une potion dans le puits de la ville… Le lendemain, lorsque les Marmors ont entonné leurs chants afin de commander leurs bêtes, ils avaient tous d'horribles voix de fausset !

Hortense m'a regardée en se tapant sur les cuisses.

— Tu aurais dû voir ça! Leurs saringues-volantes se retournaient contre eux. Marmaruck lui-même s'est enfui, poursuivi par un scarlion! Ha, ha, ha!

Bibiana a reniflé avec dédain.

— Je doute que Marmaruck, lui, ait apprécié la plaisanterie. S'il t'attrape, il te montrera à quel point il hait ton sens de l'humour tordu. Et tu ne pourras même pas compter sur cette... cette... petite fille pour te venir en aide.

Je détestais de plus en plus cette bonne femme. J'avais bien envie de lui servir une réplique bien cinglante. Mais Hortense, elle, ne semblait pas s'en faire.

— Ma chère Bibiana, tu sauras que je n'ai pas l'intention de me faire prendre. Bon, assez discuté! Je vous donnerai des nouvelles lorsque j'en saurai davantage sur cette affaire. En attendant, restons discrets...

Physicius et Bibiana ont hoché la tête et Hortense s'est cramponnée au volant.

Tandis que la décapotable s'élevait dans les airs, Physicius nous a lancé :

— Faites attention à vous, les Marmors sont des individus dangereux et imprévisibles !

Hortense lui a envoyé la main en disant :

— C'est drôle, la dernière fois que je leur ai rendu visite, c'est exactement ce qu'ils ont dit de moi !

Puis, sur ces paroles bien rassurantes, elle a enfoncé l'accélérateur.

Chapitre 7
La cité des Marmors

J'étais d'humeur noire. Ma compagne de voyage s'en est vite aperçue.

— Allez, Pénélope ! Oublie les commentaires de Bibiana. Cette vieille chouette est simplement jalouse de toi...

— Mais pourquoi ?

Hortense m'a lancé un regard coquin :

— Hé, hé, hé ! Disons que Physicius avait un faible pour ta tante... Bibiana n'a jamais réussi à l'avaler. Je crois qu'elle détesterait n'importe qui ayant hérité des bottines d'Hectorine.

Les bonnes nouvelles n'arrêtaient pas de pleuvoir ! J'avais à peine mis les pieds dans ce monde mystérieux que j'avais déjà une ennemie !

On a voyagé durant tout l'avant-midi. La forêt devenait de plus en plus dense et obscure. Quand Hortense a amorcé la descente, j'ai eu l'impression qu'on s'enfonçait dans une jungle ténébreuse.

— Est-ce qu'on est au Tremor ? ai-je demandé alors que la décapotable descendait le long d'un arbre prisonnier des lianes.

— On est à la frontière. La cité des Marmors n'est plus très loin, à peine une ou deux heures de marche. On va continuer à pied. Disons que je préférerais ne pas ébruiter la nouvelle de notre arrivée...

Au-dessus de nos têtes, les arbres étaient si touffus que peu de lumière perçait jusqu'au sol. Aussi, en plein midi, on s'est retrouvées plongées dans la pénombre. Des plantes inconnues – jaunes, vertes, noires, bleues – grimpaient le long des troncs noirs surdimensionnés. Ni cèdres ni bouleaux aux alentours... que des espèces végétales aux couleurs vives et qui semblaient drôlement vénéneuses.

— Euh, euh..., ai-je baragouiné alors qu'Hortense sortait du véhicule. Je croyais que cet endroit était dangereux...

— Bof! On a de la poudre pour repousser les bestioles... cela devrait faire l'affaire jusqu'à ce qu'on arrive à la cité des Marmors.

Hortense a brandi le sachet que lui avaient donné les Mirmitons. Elle l'a ouvert. Entre ses doigts crochus, elle a pris une pincée de poudre qu'elle s'est lancée sur la tête.

— Tiens! Mets-en un peu, m'a-t-elle dit en me tendant le sac. Cela repousse les saringues-volantes.

— Qu'est-ce qu'une saringue-volante? ai-je demandé en versant un mince filet sur mes cheveux.

— Oh... C'est comme vos maringouins, a-t-elle répondu. Sauf qu'elles sucent jusqu'à la dernière goutte.

J'ai plongé la main dans le fond du sachet pour me poudrer le cou, les épaules, les bras et les jambes! J'ai réajusté mes gants verts et, malgré la chaleur, vous pensez bien que j'ai gardé mon manteau!

J'ai quitté l'automobile pour poser le pied dans cette jungle inquiétante. Derrière elle, Hortense a fait claquer la portière. La décapotable est alors retournée à l'état de jouet pour enfant. La sorcière s'est penchée pour saisir la voiturette du bout des doigts, puis l'a rangée dans le fond de sa poche.

— En route!

Même s'il n'y avait aucun sentier, Hortense avait l'air de connaître le chemin. Parfois, elle me chuchotait une étrange recommandation, comme: «Surtout, ne regarde pas les fleurs jaunes à ta droite» ou encore: «Fais une ronde autour de ce tronc d'arbre et plante cette touffe d'herbe dans tes cheveux».

À la moitié du chemin, je me suis demandé si la drôle de sorcière ne se payait pas ma tête! Mais j'avais bien trop peur de cette forêt bizarre et trop silencieuse pour mettre en doute les demandes d'Hortense. Aussi, lorsque celle-ci m'a murmuré: «Vite, cache-toi dans ce buisson», je me suis exécutée sans faire de façons.

Une fois accroupie, j'ai vu derrière le branchage ce qui avait attiré l'attention d'Hortense. Plus loin, une palissade de bois se dressait au milieu des arbres.

En écartant le feuillage, j'ai aperçu deux gardes plantés devant l'entrée. Ces gardiens avaient une apparence humaine, mais leur peau verte et tubéreuse ressemblait à celle d'une grenouille. Pour ajouter à cet irrésistible portrait, chacun tenait en laisse un immonde scarlion.

— Nous voici dans la cité des Marmors, a murmuré Hortense.

— Ça ne nous avance pas beaucoup! ai-je marmonné. Comment va-t-on faire pour entrer? Ils vont tout de suite te reconnaître... Comment dire... Ton apparence est plutôt, euh... inoubliable!

La sorcière a posé son index contre le bout de son nez.

— Tu viens de me donner une idée!

Elle a appliqué ses deux mains contre son visage.

— *Bioutifoule, bioutifoule, bioutifoule.*

Elle s'est mise à frotter ses joues, son nez et son front comme si elle souffrait d'une attaque d'herbe à poux. Au bout d'un instant, j'ai remarqué que ses mains étaient devenues blanches et douces. Des mèches de cheveux blonds s'échappaient de son épouvantable chapeau de paille et sa silhouette s'était affinée. Quand Hortense m'a enfin dévoilé son visage, une resplendissante jeune femme me souriait en montrant ses dents impeccables telles des coquilles d'œufs.

— Cela devrait faire l'affaire, a-t-elle dit en se levant. De toute façon, on ne va pas traîner dans le coin : on sera sorties de là en moins de deux !

J'espérais que le déguisement d'Hortense suffirait à berner les gardes. Je voulais lui demander si on avait un plan B au cas où les choses vireraient au vinaigre, mais déjà on arrivait devant les portes.

Les deux Marmors nous regardaient d'un œil mauvais. Les épines des leurs scarlions rougissaient déjà.

— Halte ! Aucun étranger n'est admis dans la ville. Partez ou nous relâchons nos bêtes !

Wow ! Charmant comité d'accueil ! Secrètement, je souhaitais qu'Hortense rebrousse chemin... Mais c'était mal connaître ma complice.

— Nous avons un message à livrer à Marmaruck, a-t-elle dit. C'est de la part de... Varvarine Craquepote.

Les gardes nous ont fixées avec suspicion. Le stratagème d'Hortense ne semblait pas marcher. Le plus petit des deux Marmors était sur le point de relâcher son scarlion. Il avait même porté la main au collier de la bête lorsque son collègue l'a retenu :

— Varvarine Craquepote, hein ? a-t-il répété avec un étrange sourire. C'est bon... Vous pouvez passer !

Les portes en bois se sont ouvertes. Je ne comprenais pas pourquoi, tout à coup, l'accès nous était autorisé... Mais ce n'était pas le moment de poser des questions ! Hortense et moi, on s'est empressées de pénétrer dans la cité des Marmors. J'avais l'horrible impression que cette histoire allait mal virer.

La ville entière était construite dans les arbres. De vastes cabanes en bois étaient édifiées autour des troncs et des ponts de lianes reliaient les habitations. Des ossements attachés par des cordes menaient jusqu'aux trappes des balcons. Sous chacune de ces galeries, d'étranges cocons blancs de la taille d'un homme pendaient mollement, soufflés par le vent.

Comme on avançait sur un sentier touffu, Hortense m'a murmuré à l'oreille :

— Marmaruck, le chef des Marmors, fricote souvent avec ma cousine Varvarine… C'est pourquoi j'ai inventé cette histoire : je savais que les gardes nous laisseraient passer… À vrai dire, on se rend chez un de mes amis qui s'appelle Dolack.

Hortense et moi, on a traversé une place publique au milieu de laquelle se trouvait un puits. Ce devait être là que la sorcière avait déversé sa potion lors de sa dernière visite ! Les quelques habitants rencontrés nous ont dévisagées impoliment, mais on a poursuivi notre route sans difficultés.

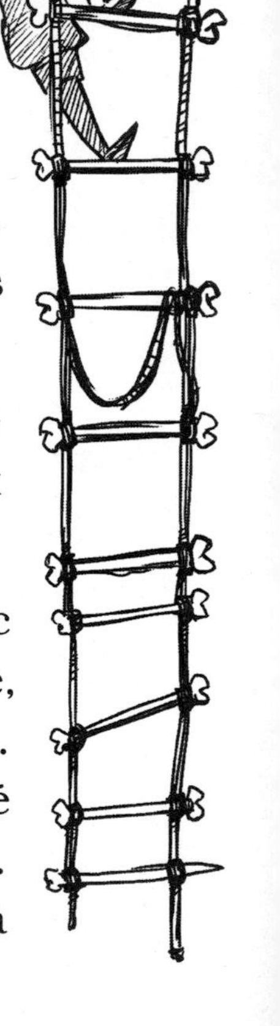

Lorsqu'on est arrivées devant un gros arbre couvert de mousse, Hortense m'a fait signe de m'agripper aux tibias et fémurs qui servaient d'échelle.

— Monte! a-t-elle ordonné en jetant un coup d'œil nerveux aux environs.

J'ai regardé les os avec dédain. En faisant la grimace, j'ai commencé mon ascension. On est passées à côté d'étranges cocons suspendus. Quelque chose bougeait à l'intérieur... J'ai grimpé plus rapidement.

J'étais bien contente d'arriver à la petite trappe. Hortense s'est hissée sur le balcon derrière moi. Elle s'est dirigée vers la porte de la cabane pour frapper.

Toc, toc, toc.

Le petit être vert qui nous a répondu avait l'air moins féroce que ses compatriotes postés au portail du village. Il nous fixait de ses yeux agrandis par la surprise et l'incompréhension.

— Dolack, a marmonné la sorcière de sa voix rocailleuse, c'est moi...

Le Marmor a froncé les sourcils avant de s'écrier :

— Hortense Craque...

— Chut ! Tu vas nous faire repérer ! a murmuré la sorcière.

Dolack a changé d'expression. Il s'est immédiatement effacé du seuil et nous a fait signe de le suivre :

— Entrez ! Mais entrez vite !

On ne s'est pas fait prier!

L'intérieur de l'habitat était étonnamment confortable. Tout le mobilier était en bois et en écorce. Il y avait aussi quelques fourrures étendues sur le plancher. Telle une poutre, un immense tronc d'arbre traversait le centre de la cabane. Des outils divers y étaient accrochés: une serpe, une corde, une petite massue...

— Hortense! s'est exclamé Dolack, jamais je ne pensais te revoir par ici! Si jamais Marmaruck nous coince...

La sorcière a levé la main pour l'interrompre:

— C'est pourquoi je vais aller droit au but. Je n'ai pas l'intention de m'éterniser ici.

Le petit homme vert courait à gauche et à droite pour fermer les rideaux.

— C'est très dangereux... Marmaruck est fou de rage contre toi! Il cherche une façon de prendre sa revanche. Dernièrement, une vieille commère lui a raconté que je t'avais donné un coup de main pour verser la potion dans le puits. Il a menacé de me faire sucer jusqu'à la moelle par une saringue-volante! Pour me sortir d'affaire, je lui ai fourni de fausses informations sur toi. Je lui ai dit que tu habitais une grotte dans l'Alzador. Il faut absolument que je me sauve avant qu'il découvre que ce n'est pas vrai!

— Hé, hé, hé, a ricané Hortense. Je comprends maintenant pourquoi un Marmor a été vu à la frontière du Gorion... Marmaruck a envoyé un émissaire pour se venger de moi!

Dolack avait l'air très inquiet. Je commençais à me demander si Hortense et moi, on ne venait pas de marcher tout droit dans la gueule du scarlion.

— Mais cela n'explique pas tout, a continué la sorcière. Pénélope et moi, on a été attaquées par des croquepattes et un scarlion... Qui aurait pu nous les envoyer?

Dolack a hoché négativement la tête.

— Non… vraiment. Je ne comprends pas… Marmaruck veut ta tête, c'est sûr. Mais le Tremor est une région isolée. On ne possède pas beaucoup de renseignements sur le monde extérieur et je n'ai pas trahi ton secret, Hortense, je te le jure !

La sorcière a insisté :

— En dehors de l'espion envoyé par Marmaruck, il ne manque personne au village ? Quelqu'un qui serait parti en voyage dernièrement ?

Dolack s'est gratté le front avant de répondre :

— Non, désolé, je ne vois personne.

Hortense allait continuer son interrogatoire lorsqu'une voix grave et forte a résonné à l'extérieur :

— Hortense Craquepote, vieille vipère ! Tu pensais me berner encore une fois ! Mais toi et tes conspirateurs, vous allez maintenant connaître la colère de Marmaruck !

Chapitre 8

La colère de Marmaruck

En voyant la mine de Dolack, j'ai compris qu'on était cuits. La peur avait blanchi ses lèvres et ses yeux s'agrandissaient de terreur.

— Hortense, qu'est-ce que tu as raconté pour entrer dans la cité? a-t-il demandé d'une voix éteinte.

Hortense frottait énergiquement son visage. Peu à peu, ses beaux cheveux soyeux se sont transformés en affreuse tignasse grise et ses mains sont redevenues longues et osseuses. Au bout d'un instant, elle avait repris son apparence habituelle. En grattant son menton poilu, la sorcière a répondu :

— Tout simplement que je voulais donner un message à Marmaruck de la part de ma cousine Varvarine. Ces deux-là ont toujours été de mèche.

Dolack s'est frappé le front.

— Non, justement ! Varvarine vient de se ranger du côté du mage d'Osrion, l'ennemi juré de Marmaruck, dans la lutte pour les terres d'Algadros.

— Ah bon ! J'étais en retard dans les nouvelles ! a tout bonnement dit Hortense. Cela explique l'accueil curieux qu'ils nous ont fait...

— On vous a laissé entrer uniquement pour découvrir ce que vous vouliez. Quand ils ont vu que vous vous dirigiez chez moi... ils ont tout de suite compris à qui ils avaient affaire.

Hortense fixait le bout de son nez. Quelque chose l'embêtait. Tout d'un coup, elle a saisi sa narine gauche et l'a tirée jusqu'à ce que celle-ci reste de travers.

— Ah, voilà ! a-t-elle lancé, enfin satisfaite. Maintenant, tout est à sa place !

Je me suis approchée d'une fenêtre. En soulevant légèrement le rideau, j'ai vu que des centaines et des centaines de Marmors encerclaient la cabane de Dolack. Ils se trouvaient par terre, dans les maisons avoisinantes et perchés dans les arbres... Impossible de leur échapper.

Marmaruck, vêtu d'un étrange habit fait de peau et d'ossements, se tenait un peu plus bas, face à moi. Son visage était d'un vert particulièrement foncé et sa musculature rappelait celle

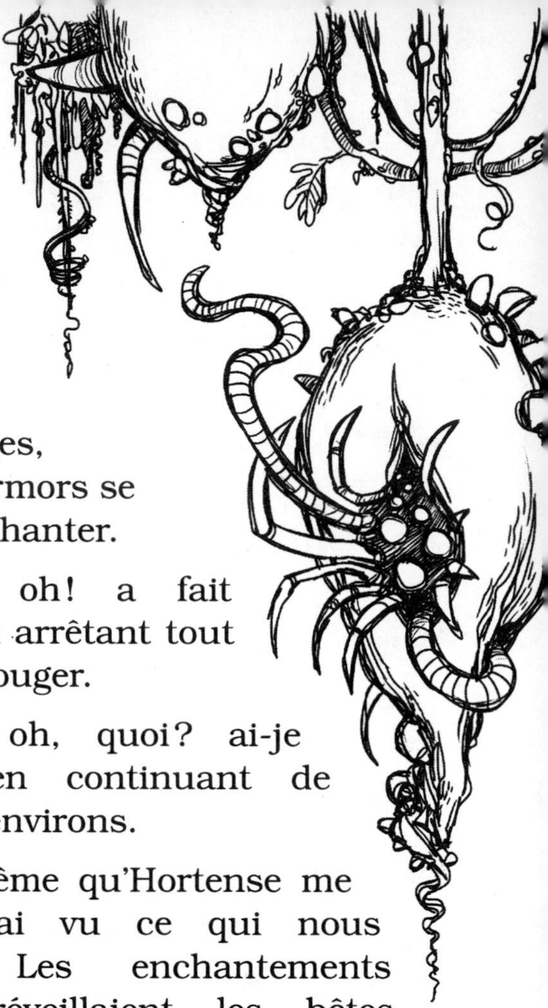

d'un
guerrier.
Lorsqu'il a
frappé le sol
d'un grand
sceptre noir
serti de
pierres rouges,
tous les Marmors se
sont mis à chanter.

— Oh, oh! a fait Hortense en arrêtant tout à coup de bouger.

— Oh, oh, quoi? ai-je demandé en continuant de scruter les environs.

Avant même qu'Hortense me réponde, j'ai vu ce qui nous attendait. Les enchantements marmors réveillaient les bêtes endormies dans les cocons suspendus. Dans un grand bruit de toile déchirée, d'énormes insectes blancs en surgissaient. Ces monstres aux multiples pattes avaient des yeux rouges à vous glacer le sang.

— Ils appellent les spiradores..., a finalement répondu la sorcière en pinçant ses lèvres. C'est plutôt embêtant.

Les bêtes se sont ébrouées. Elles secouaient leur tête à gauche et à droite comme pour émerger d'un long rêve. Peu à peu, elles se sont mises à s'accrocher aux arbres, aux branches... Et elles pointaient toutes dans une seule direction: la nôtre!

— Hortense, ai-je crié, ces monstres vont nous attaquer! Il faut faire quelque chose!

La sorcière se grattait la tête.

— J'y réfléchis, j'y réfléchis, a-t-elle dit, ennuyée. Mais ce n'est pas facile. Les spiradores sont les seules créatures qui ne répondent à aucun sortilège connu...

Les affreuses bestioles s'étaient mises en branle. Dirigées par les chants marmors, elles avançaient rapidement vers nous. Horrifiée, j'ai entendu des raclements sous la galerie de Dolack. Je fixais l'endroit d'où provenait le bruit, pétrifiée comme dans un cauchemar. Lorsque des pattes blanches sont apparues sous la balustrade, je suis sortie de mon état hypnotique. J'ai tiré le rideau d'un coup sec et je me suis tournée vers Dolack :

— Il doit bien y avoir quelque chose que ces bêtes détestent !

Le petit Marmor était dans un état proche de la paralysie. Il a cependant trouvé la force de murmurer :

— Les fleurs d'Oripan. Les spiradores ne peuvent pas supporter leur odeur ! Malheureusement, ce n'est pas la saison de leur floraison...

Le visage d'Hortense s'est alors illuminé.

— Hé, hé, hé ! Je sais comment on va s'en tirer. Pénélope, tu vas m'aider ! Fais exactement comme moi !

La sorcière s'est mise à taper des pieds et des mains tout en scandant :

— *Jarre dain botta nick.*

Dire que j'ai toujours été nulle en danse en ligne ! Mais dehors, j'entendais le grattement des bestioles contre la cabane. Elles étaient partout : sur le toit, contre les murs, sur le balcon. Ce n'était qu'une question de temps avant qu'elles se frayent un chemin à l'intérieur... J'étais pas mal motivée à me trémousser !

— *Jarre dain botta nick.*

Je me suis mise à chanter et à danser avec Hortense. Alors que je sautillais du mieux que je pouvais, une spiradore a passé la tête à travers la fenêtre. Après avoir avalé le rideau d'un seul coup de mandibule, la bête s'est mise à grignoter les rebords de la cabane afin de se créer un passage.

J'ai quand même gardé ma concentration. Ne me demandez pas comment !

— *Jarre dain botta nick.*

J'entendais une spiradore qui se grignotait un passage à travers le toit de paille. Je pensais qu'on était fichus. C'est alors que, partout dans la maison, de petites tiges vertes se sont mises à pousser.

— *Jarre dain botta nick.*

Hortense et moi, on a accéléré la cadence. Des feuilles sont alors apparues, éclipsant d'un coup tout le mobilier de Dolack. Les tiges continuaient de pousser, pousser...

— *Jarre dain botta nick.*

Puis tout à coup, pouf! Des milliers et des milliers de fleurs mauves ont éclos en projetant leur parfum dans les airs. On pouvait entendre les pattes des spiradores racler le bois en s'enfuyant. Les Marmors se sont mis à hurler et à courir pour ne pas se trouver sur le chemin de cette bande de bêtes sanguinaires complètement hors de contrôle.

À bout de souffle, on a arrêté de piétiner. Mais il n'y avait pas une minute à perdre. La sorcière a immédiatement farfouillé dans sa poche. Lorsque sa main est réapparue, elle tenait fermement la décapotable rouge.

— On s'est suffisamment amusées. Il n'y aura pas de meilleur temps pour s'échapper.

Du bout des doigts, elle a ouvert la portière. La voiture a regagné sa taille normale. J'ai tout de suite sauté dans le siège du passager.

— Tu viens, Dolack? a lancé Hortense.

Le petit Marmor cherchait quelque chose parmi le feuillage épais. Il a finalement mis la main sur un flacon de liquide rose avant de sauter sur le banc arrière.

— Attachez vos ceintures! a recommandé Hortense.

La voiture s'est inclinée pour pointer vers le ciel. Avec une force prodigieuse, l'engin s'est alors élancé contre le toit de la cabane. SHHHCRAAC! Alors qu'on montait dans le ciel, j'avais de la paille et des fleurs d'Oripan plein les cheveux. Je crachais encore quelques pétales quand Hortense a soupiré :

— Il n'y a pas à dire : le Tremor, quel joli coin de pays !

Chapitre 9

Le maître des croquepattes

On a volé à une allure folle jusqu'à la frontière. Le vent fouettait mon visage si violemment que j'avais de la difficulté à respirer.

Lorsqu'on a été certains que les scarlions, spiradores et autres bestioles attachantes ne pouvaient plus nous atteindre, Hortense a ralenti la cadence.

— Je dois dire, Pénélope, que je ne suis pas déçue ! m'a lancé la sorcière. Tu es aussi perspicace que ta tante Hectorine ! Sans toi, on servait de dîner à ces sordides créatures...

Je ne comprenais pas trop de quoi Hortense voulait parler.

— Je... je n'ai rien fait pourtant. C'est toi qui as fait pousser les fleurs...

— Peut-être..., a répondu Hortense. Mais c'est toi qui m'en as donné l'idée ! Et puis, tu as un dandinement pas piqué des vers !

Elle a conclu en me lançant un clin d'œil :

— Je sens qu'on va faire une équipe du tonnerre !

Dolack s'est penché vers nous.

— Je dois avouer que le coup des fleurs d'Oripan était spectaculaire ! Je ne savais pas, Hortense, que tu pouvais produire des enchantements si puissants !

— Bof ! Ce n'est rien ! Tout est dans le rythme...

Mais le petit Marmor ne tarissait pas d'éloges :

— Non, non ! C'était fantastique. Dire que le dernier sorcier qui est venu dans le Tremor pouvait à peine faire apparaître une tomate ! Le pauvre ! C'est probablement pour ça qu'il voulait étudier les chants nécessaires à contrôler nos bêtes. Sa maîtrise de la magie était vraiment exécrable !

Est-ce que ça vous rappelle quelqu'un ? Je me suis immédiatement tournée vers Dolack.

— Et ce sorcier, il s'appelait comment ?

Dolack a posé son index sur le bout de son nez.

— Farmassius Frapu... Non, Terrassius Trapu... Non...

Hortense s'est écriée :

— Varnassius Crapu !

— C'est ça ! Varnassius Crapu ! a approuvé le petit Marmor. Vous le connaissez ?

— On peut dire..., a marmonné Hortense entre ses dents.

— Eh bien, a continué Dolack, cet hurluberlu a passé plusieurs mois chez nous. Je ne sais pas quel arrangement il a conclu avec Marmaruck, mais ce dernier l'a laissé entrer dans la cité pour étudier nos chants.

J'ai ouvert la bouche pour parler des croquepattes et de la brèche, mais Hortense m'a regardée d'une façon qui signifiait : « Chut ! Tais-toi ! »

Dolack a sorti le flacon rose qu'il avait récupéré avant de partir.

— Tiens, Pénélope ! m'a-t-il dit en me tendant la fiole. Il s'agit d'une potion anticroquepatttes. Cela devrait régler ton problème.

Dolack a jeté un coup d'œil derrière lui en gémissant.

— Ça va? lui ai-je demandé.

— C'est la dernière fois que je vois le Tremor, a-t-il soupiré. Marmaruck ne me laissera plus jamais revenir.

J'ai posé ma main sur son épaule. Je le comprenais un peu. J'avais senti quelque chose de similaire lorsque j'avais franchi pour la dernière fois la grande porte de Sainte-Gertrude, mon école primaire. Parfois, il n'y a pas de retour en arrière possible.

On a déposé Dolack à la frontière de la contrée d'Ismandre. Hortense lui a montré un sentier dégagé qui sillonnait entre les sapins et les épinettes.

— Prends ce chemin. Il te mènera jusqu'au sommet d'une montagne. Une fois rendu, tu verras la tour d'Ismandre. C'est la demeure d'un puissant magicien, Physicius Hocus.

Dolack observait le sentier en dodelinant sur ses pieds. Hortense s'est frotté les mains. Un parchemin roulé est apparu dans sa paume. Est-ce qu'elle gardait ce truc dans sa manche comme un magicien de foire?

— En arrivant, donne-lui ce rouleau... Il comprendra et tu pourras rester auprès de lui tant que tu le voudras. Et puis, Physicius a toujours besoin d'aide à la tour. Je suis sûre qu'il pourra mettre tes talents à profit.

Dolack avait encore l'air incertain. Hortense s'est penchée pour le regarder droit dans les yeux.

— Physicius est un vieil ami, tu peux lui faire confiance, a-t-elle assuré au petit homme.

Puis, la sorcière a ajouté :

— J'ai également une faveur à te demander. Je veux que tu répandes une rumeur. Dans les villages que tu croiseras sur ta route, raconte que Pénélope et moi, on n'a pas survécu aux bêtes du Tremor. On doit croire que les spiradores nous ont dévorées toutes crues !

— C'est une drôle de demande... mais j'imagine que tu as tes raisons, Hortense Craquepote !

La sorcière lui a lancé un clin d'œil avant d'appuyer sur l'accélérateur. Je me suis penchée par-dessus bord pour envoyer la main à Dolack. Je n'ai pas pu retenir ma langue plus longtemps.

— C'est Varnassius Crapu qui a fait le coup ! J'en étais sûre !

Un sourire flottait dans les yeux gris de ma complice.

— Hé, hé, hé ! On aurait dû t'écouter ! Mais qui aurait pu penser que ce sorcier de pacotille aurait eu l'idée d'aller étudier les chants marmors ? Je ne sais pas comment il a persuadé Marmaruck de les lui enseigner. Les habitants du Tremor sont habituellement très avares de leurs connaissances : ils ne les partagent pas ! Varnassius a dû promettre quelque chose en retour... quelque chose de particulièrement important.

Je continuais à tourner et retourner la situation dans ma tête. Tout à coup, l'image de la grosse sorcière aux cheveux frisés m'est apparue.

— Est-ce que Bibiana Goudi aurait pu vendre la mèche sur l'existence de la brèche ?

— Bibiana? Non, non! a tout de suite répondu Hortense. Du moins, pas intentionnellement...

— Qu'est-ce que tu veux dire par là?

— Tout simplement que Bibiana est une vieille pie qui adore se vanter. Varnassius a travaillé dans son château des marais. Elle a peut-être sous-entendu qu'elle connaissait un secret important... Si elle a laissé traîner des indices, il est fort probable qu'il ait fini par assembler les morceaux du casse-tête.

L'identité du maître des croque-pattes ne faisait plus aucun doute. Une seule question flottait encore dans mon esprit:

— Dis-moi, Hortense, pourquoi veux-tu faire croire qu'on a servi de dîner aux spiradores?

La sorcière m'a sorti son sourire à moitié édenté:

— La rumeur va servir d'appât afin d'attirer cette crapule de Varnassius dans nos filets!

Voyant que je ne la suivais pas, Hortense a ajouté:

— Varnassius s'est servi des croquepattes et du scarlion pour tenter de nous éliminer. Il sait très bien qu'il est un sorcier pitoyable et il ne voulait pas prendre le risque de nous affronter de façon directe. Il est fourbe, mais il n'est pas fou! Son plan était de laisser les affreuses bêtes se débarrasser de nous pour ensuite franchir la brèche en toute tranquillité.

Je commençais à comprendre...

— Alors, ai-je continué en hésitant, si Varnassius pense qu'on est disparues dans le Tremor...

— ... il se précipitera vers la fissure pour traverser dans ton monde, a poursuivi Hortense. C'est là qu'on l'attendra pour le capturer.

Le plan d'Hortense m'apparaissait enfin.

— Et cette fissure, ai-je demandé, où est-elle au juste?

La sorcière a jeté un coup d'œil aux alentours. Comme si quelqu'un pouvait se cacher derrière un nuage! En baissant la voix, elle m'a répondu:

— Pas tellement loin de Chaudron-Fumant, tu vas voir...

Hortense gardait les yeux sur la «route». On avait encore des heures de voyagement devant nous.

— On ne pourrait pas apparaître, pouf, comme Physicius et Bibiana? On gagnerait du temps, ai-je hasardé.

— Oui, on pourrait, a dit Hortense. Mais un déplacement magique, ça laisse des traces, et je préfère que personne ne soit au courant de notre petite excursion...

— Je vois, je vois...

— Ne t'en fais pas, Pénélope, a conclu Hortense, désormais il n'y aura plus aucune difficulté. Mettre la main au collet de ce Varnassius Crapu va être aussi facile que de tailler une citrouille !

Je me suis sentie vaguement détendue. Je commençais à avoir hâte de rentrer chez moi pour revoir mon père et ma petite sœur. Hortense me faisait miroiter que cette histoire était déjà à moitié réglée.

Laissez-moi vous dire que c'était la dernière fois que je croyais une sorcière !

Chapitre 10

À la frontière des mondes

Lorsqu'on est arrivées à Chaudron-Fumant, une lune blanche illuminait le ciel. Dans l'antre des foyers, les brasiers s'éteignaient pour la nuit. Seules quelques cheminées crachaient encore leur fumée au-dessus du village silencieux.

On a survolé la cabane d'Hortense sans s'arrêter. Filant à toute allure, la décapotable a continué sa course par-dessus les bois sombres qui entouraient le hameau.

Au bout de quelques minutes, la sorcière a amorcé sa descente pour se poser derrière une rangée d'énormes troncs en bordure d'une clairière.

Perché sur une branche dégarnie, un hibou aux yeux jaunes hululait sinistrement. En mettant le pied par terre, j'ai pensé que la noirceur ne rendait pas cette forêt plus sympathique. On aurait dit qu'un grand méchant loup se cachait derrière chaque brindille!

Même Hortense restait sur ses gardes. Elle est descendue de la décapotable en flairant les alentours. Elle a ensuite refermé la portière avant de glisser la voiture dans sa poche.

— Suis-moi, a-t-elle murmuré en avançant vers la clairière.

Des nappes de brouillard s'élevaient du sol. Je ne voyais pas très bien où je mettais les pieds. Hortense s'est arrêtée pour inspecter les environs. C'est alors que j'ai trébuché sur une roche pour m'étaler de tout mon long.

En se tournant vers moi, la sorcière m'a tendu sa main noueuse.

— Ça va?

J'ai saisi ses longs doigts osseux. Je m'apprêtais à me relever lorsque mes yeux sont tombés sur le «caillou» qui m'avait fait chuter. Derrière un voile brumeux, j'ai aperçu l'inscription gravée... d'une pierre tombale!

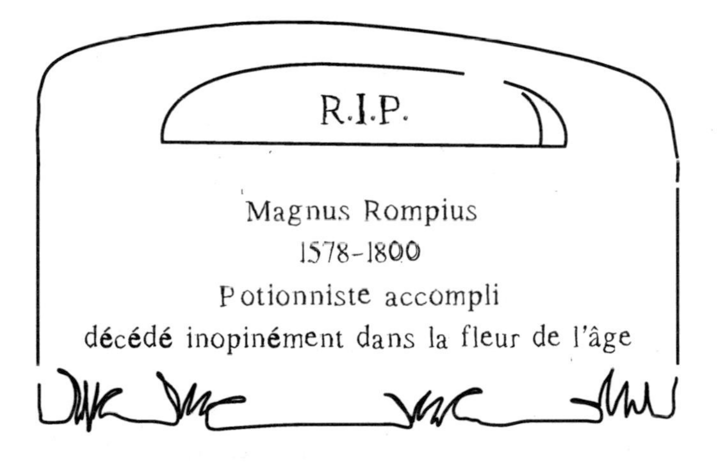

J'ai bondi sur mes pieds. Tout autour de moi, des sépultures émergeaient de la brume.

Je me suis accrochée à une manche de la sorcière.

— Hortense! Qu'est-ce qu'on fait dans un cimetière?

— Pas si fort, m'a-t-elle grondée. C'est ici que j'ai dissimulé la fissure...

— Pourquoi... pourquoi un endroit si macabre? ai-je demandé en bégayant.

En m'entraînant parmi les tombes, Hortense a précisé:

— Parce que plus personne ne vient par ici. On ne peut pas rêver d'un lieu plus tranquille!

C'est vrai que, pour la tranquillité, on était servies! Ce cimetière semblait abandonné depuis des siècles. Des ronces grimpaient le long des pierres et des herbes folles avaient envahi le terrain.

Lorsqu'on est arrivées devant un monument blanc, Hortense a marmonné:

— Ici, ça fera l'affaire!

Puis, la sorcière s'est penchée en me faisant signe de l'imiter.

Camouflées derrière la dernière demeure de «Vorvola Doudou, 989-1457, chaudroniste renommée», on a fait le guet... et le guet... et le guet...

La lune poursuivait sa course dans le ciel et la brume a fini par se dissiper. Mes fesses étaient horriblement aplaties contre le terrain humide et je doutais de plus en plus du plan d'Hortense...

— Comment peut-on savoir si Varnassius viendra ce soir? ai-je demandé en me frottant l'arrière-train pour activer ma circulation.

— Oh, il viendra! Crois-moi! Par ici, les rumeurs se répandent à la vitesse de l'éclair. Dès qu'il sera assuré de son triomphe, cette petite crapule ne voudra pas perdre une minute. Il se dirigera tout droit vers la fissure.

J'ai soupiré. Avais-je le choix, de toute façon ? Je me suis calée contre la pierre tombale de Vorvola et j'ai continué à scruter les environs.

Les étoiles commençaient à pâlir lorsque j'ai entendu une branche craquer. Hortense a levé la main pour me faire signe de ne pas bouger.

Varnassius Crapu est apparu entre deux troncs d'arbre. Dans sa main, il tenait une pelle et il se dirigeait tout droit vers une vieille stèle couverte de mousse. Ses petits yeux de rat brillaient de convoitise. Il s'est immobilisé devant la tombe abandonnée. D'un coup de tête, il a envoyé sa queue de cheval crasseuse dans son dos. Puis, il s'est mis à creuser.

Hortense a bondi hors de notre cachette.

— Varnassius Crapu, arrête-toi immédiatement!

Le sorcier a sursauté comme s'il venait de voir un fantôme. Pendant qu'il nous regardait – bouche ouverte et yeux écarquillés –, Hortense a levé la main. Comme si elle était attachée à un élastique invisible, la pelle s'est échappée des doigts de Varnassius. L'outil a zigzagué dans notre direction. J'ai réussi à l'attraper juste avant de le recevoir sur le pied!

— Hortense Craquepote! a marmonné l'homme. Est-ce bien toi? Je te croyais... On m'avait dit que tu...

— Surprise! Me voilà! Et ça m'apprendra à te laisser une chance, tout ça sous prétexte qu'il y a dix lunes bleues, je t'ai laissé me piler sur les pieds pendant une courte danse!

Le visage de Varnassius s'est assombri. Une ride mauvaise lui a craquelé le front.

— Je constate, ma vieille Hortense, que tu es toujours aussi sûre de toi!

a-t-il sifflé entre ses dents. Toi et cette... cette... fillette, vous pensez vraiment pouvoir m'empêcher de traverser la frontière?

Hortense s'est mise à ricaner.

— À moins que tu ne me charmes à l'aide d'un de tes philtres d'amour bidon!

La lèvre supérieure de Varnassius s'est retroussée pour dévoiler ses dents jaunes:

— Après tout, Hortense Craquepote, tu tombes plutôt bien... J'avais promis au roi Marmaruck de me débarrasser de toi en échange de ses secrets. Bien entendu, je n'avais pas l'intention de respecter ce pacte... Tout ce que je voulais, c'était accéder à ce monde sans magie dont parlait la grosse Goudi! Mais je ne savais pas que ce serait toi-même, Hortense Craquepote, qui te placerais dans mon chemin... Le monde est petit! Eh bien! L'espion que Marmaruck a envoyé sur mes traces pourra dire au roi que j'ai tenu parole!

Le sorcier a entonné un chant d'une voix rauque et envoûtante. Des bruissements semblables à des battements d'ailes se sont élevés de la forêt. Le sourire est disparu du visage d'Hortense. Elle regardait nerveusement le ciel.

Les bêtes sont apparues d'un coup et se sont mises à tournoyer au-dessus du cimetière. La noirceur ne me permettait pas de les distinguer clairement. Il me semblait cependant que leurs ailes ressemblaient à celles des chauves-souris, et que leur gueule se terminait par un long, un très, très long dard.

— Des saringues-volantes! s'est écriée Hortense.

Elle a sorti de sa manche le sachet des Mirmitons. D'un geste rapide, elle l'a ouvert pour y jeter un coup d'œil. À sa façon de se pincer les lèvres, j'ai vu que ça allait mal...

— Il en reste juste assez pour toi, a-t-elle dit en me versant le fond du sac sur la tête. Sauve-toi, Pénélope ! Je vais me débrouiller.

Hortense s'est éloignée. Elle s'est hissée sur un tombeau, puis s'est mise à proférer d'étranges paroles en levant les mains vers les monstres volants.

Des éclairs d'un rouge intense jaillissaient des doigts de la sorcière. Les saringues-volantes touchées piquaient du nez pour retomber par terre, raides mortes. Mais pour chaque bestiole vaincue, trois nouvelles se lançaient à l'assaut. Je n'avais pas besoin d'un diplôme en magie – ou en mathématiques – pour comprendre ce qui attendait ma pauvre Hortense...

J'aurais pu filer dans la forêt. C'est Hortense elle-même qui m'en avait donné l'ordre. Mais je n'avais pas le cœur de l'abandonner. Et puis, si un malheur arrivait à la sorcière, qui allait m'aider à garder cette damnée fissure ? Je devais regarder la réalité en face : fuir n'allait pas régler mes problèmes.

Et quels problèmes! Le ciel se couvrait de saringues-volantes. Notre seule chance était d'obtenir du renfort. Je savais que Chaudron-Fumant se trouvait quelque part à l'est. Si je courais tout droit dans cette direction, peut-être que je réussirais à avertir les amis d'Hortense... à temps.

Je me suis retournée pour m'élancer. J'avais à peine fait deux pas que Varnassius Crapu surgissait devant moi.

— Alors, fillette, a-t-il dit avec un sourire dégoûtant, tu nous quittes déjà?

Le vilain crasseux me barrait le chemin. J'avais de la difficulté à respirer. J'étais terrorisée. Je sais ce que vous pensez. Vous vous dites que cette crapule de Crapu n'était même pas un bon magicien... Mais un mauvais sorcier, c'est un sorcier tout de même! J'aurais bien voulu vous voir, au milieu des tombes, devant ce bonhomme aux horribles dents jaunes...

— Est-ce que les croquepattes t'ont mangé la langue? Ha, ha! Ne t'en fais pas! Je te réserve un sort enviable! Je vais te changer en statue de pierre. C'est de circonstance... et cela embellira le paysage!

J'ai tenté de gagner du temps:

— Mais pourquoi souhaitez-vous traverser dans mon monde? Vous savez, ce n'est pas si génial que ça...

Varnassius m'a regardée comme si j'étais la dernière des idiotes.

— Tu veux rire? Dans un monde sans magie, même un sorcier comme moi est un dieu! Allez, assez discuté!

Le sorcier a levé vers moi ses mains aux gants troués. J'étais certaine de terminer ma vie pétrifiée au beau milieu d'un cimetière oublié...

Chapitre 11

Le sortilège de Pénélope

Instinctivement, j'ai levé les mains devant mon visage. Comme si c'était suffisant pour me protéger d'un sortilège magique!

J'ai senti une force foncer droit sur moi. C'est difficile à expliquer... J'ai eu l'impression qu'un très lourd ballon de plage avait frappé mes poignets avant de rebondir au loin.

Lorsque j'ai rouvert les yeux, j'étais toujours en chair et en os! Mes gants verts scintillaient comme s'ils étaient parcourus d'électricité statique. Ils m'avaient protégée du maléfice de Varnassius!

Cet idiot de sorcier ne comprenait rien. Il regardait ses paumes, incrédule.

— Bon! Qu'est-ce qui n'a pas marché cette fois? s'est-il écrié, agacé.

Je ne lui ai pas laissé le temps de réfléchir. J'ai serré la pelle dans mes mains pour la lui balancer en plein front.

Varnassius a vacillé avant de s'écrouler d'un coup. Le sorcier gisait, inanimé, la joue écrasée contre une sépulture ancienne.

Je me suis tournée vers Hortense. Des centaines de saringues-volantes l'encerclaient. Certaines effleuraient presque son chapeau de paille de leurs pattes crochues.

Mais, soudain, on aurait dit que les horribles bêtes avaient perdu le goût du combat. Elles s'élevaient plus haut dans le ciel et regardaient tout autour comme si elles s'éveillaient d'une transe. Après quelques rondes dans les airs, elles ont croassé en chœur, puis sont parties en direction du Tremor.

Hortense a tout de suite sauté en bas de sa pierre tombale.

— Pénélope, tu n'as rien?

Arrivée près de moi, la sorcière a vu Varnassius étendu par terre. Pour la première fois depuis que je connaissais Hortense, ses yeux se sont agrandis de surprise.

— Quel envoûtement as-tu jeté à cette vieille fripouille?

— Euh... Le sortilège de la-pelle-sur-la-marboulette, ai-je répondu en levant dans les airs mon outil « magique ».

Hortense s'est mise à rire, à rire... comme une vraie sorcière ! Lorsqu'elle s'est finalement calmée, elle a ajouté :

— C'est un grand classique : il fonctionne à tout coup !

Puis, elle a remué ses doigts en direction du sol en disant :

— *Kami zole defaursse !*

Les ronces se sont agitées comme des serpents. Elles ont glissé sur le corps de Varnassius pour lui recouvrir les jambes, les bras, le torse... et bientôt, le pauvre s'est retrouvé ligoté de la tête aux pieds.

— Qu'est-ce que tu comptes faire de lui ? ai-je demandé.

— Oh, lui... Je vais commencer par lui enlever tous les souvenirs qu'il pourrait garder concernant l'existence de cette brèche. Ensuite...

La sorcière a souri malicieusement.

— ... ensuite... je vais en faire cadeau au roi Marmaruck. Qui sait? Cela pourrait améliorer mes relations avec les Marmors. Mais pour l'instant, je vais te renvoyer chez toi pour que tu règles notre petit problème de croquepattes une fois pour toutes.

Elle a pointé son doigt en direction de la pelle et lui a ordonné:

— *Pi ochla tonbe!*

L'instrument est allé se planter dans la terre en friche recouvrant le tombeau moussu. L'outil a creusé, creusé, creusé... jusqu'à ce qu'un

raclement de bois nous signale qu'il buttait le cercueil.

Sans hésiter, Hortense a sauté dans le trou.

— C'est là-dedans que la brèche est dissimulée, a-t-elle lancé en ouvrant les clenches qui retenaient le couvercle vermoulu. Tu peux utiliser le passage pour retourner chez toi.

Je ne savais pas à quoi m'attendre. De quoi pouvait bien avoir l'air cette « brèche » ?

Hortense a finalement réussi à faire pivoter la planche de bois. Je me suis penchée pour voir à l'intérieur. Vous pouvez sans doute imaginer ma surprise lorsque j'ai aperçu, enterré dans ce tombeau de sorcier... le fond de mon armoire de cuisine !

Tous nos produits ménagers étaient sagement alignés. Je reconnaissais également le gros tuyau courbé sous notre évier, celui auquel papa avait attaché une guenille à pois pour l'empêcher de couler.

— Tu as toujours la potion anti-croquepattes que t'a laissé Dolack?

J'ai hoché la tête, encore secouée par l'étrange vision qui s'offrait à moi.

— C'est bon, a continué Hortense. Tu n'as qu'à les en asperger... Et maintenant, saute!

J'hésitais. Nos mondes ne semblaient pas être alignés de la même façon... En entrant dans le cercueil, c'était comme si je «tombais» dans ma propre cuisine.

— Ne t'en fais pas, m'a encouragée Hortense, il y a une petite distorsion entre nos univers. Mais cela s'arrangera dès que tu seras de ton côté.

La joie de revoir quelque chose de familier l'a emporté sur la crainte. Je me suis approchée du rebord du tombeau, puis j'ai sauté comme d'un tremplin.

J'ai senti mes pieds percuter les portes d'armoire et mes talons glisser sur le plancher. Quand je me suis enfin immobilisée, j'étais étendue sur le carrelage frais de ma cuisine. À l'extérieur, le soleil de juillet brûlait le gazon, et une humidité amazonienne régnait dans toute la maison.

J'étais bel et bien revenue chez moi.

Je me relevais à peine qu'une voix rocailleuse bien connue m'appelait de sous l'évier.

— Pstt, pstt !

Au fond de l'armoire, le visage d'Hortense était penché vers moi comme si elle regardait au fond d'un puits. Derrière elle, je voyais le ciel où brillaient encore quelques étoiles.

— Je vais refermer la porte, mais on se reverra bientôt. Bonne chance avec les croquepattes !

Hortense a rabattu le couvercle et le fond de l'armoire s'est scellé.

Et parlant de ces sales bestioles...

J'entendais d'affreux petits pas descendre l'escalier. Dans ce monde-ci, quelques secondes à peine s'étaient écoulées. Les croquepattes étaient toujours à ma poursuite, comme si je venais à peine de pousser la porte du sous-sol !

Dans la poche de mon manteau mauve, j'ai pris la fiole que m'avait donnée Dolack. Je n'étais pas vraiment à l'aise d'affronter ces créatures. Mais il faut dire qu'après les scarlions, les saringues-volantes, les spiradores et les sorciers véreux... il m'en fallait davantage pour m'impressionner !

Je suis sortie de la cuisine pour retontir au bout du corridor. Elles étaient là, les repoussantes bêtes noires et jaunes qui fonçaient vers la cave.

Dès que je les ai vues, leur horrible dard s'est mis à pivoter dans tous les sens. Elles flairaient ma présence.

Après un bref moment d'hésitation, elles ont réorienté leur trajet. Leurs pattes ont changé de direction et elles se sont mises à charger... droit sur moi !

J'ai ouvert la bouteille de Dolack. Quand les croquepattes sont arrivés à moins de deux mètres de moi, je les ai éclaboussés avec le liquide rose.

L'effet a été instantané. Les bêtes se sont immobilisées en prenant une texture gélatineuse. Des bulles se sont formées à leur surface. Elles se sont mises à bouillir, puis à s'évaporer. Bientôt, il n'y avait plus aucune trace des horribles monstres. Ils étaient disparus comme une flaque d'eau au soleil de midi.

Épuisée, j'ai enlevé mon manteau, mes gants verts et je me suis affalée sur le divan du salon. De son portrait en haut de la cheminée, tante Hectorine me lançait un regard bienveillant. Je me demandais combien d'aventures se cachaient derrière ses cheveux gris... Et je me demandais surtout pourquoi elle m'avait légué, à moi, ses merveilleuses bottines...

Lorsque la sueur a commencé à perler à mon front, je me suis souvenue que papa et Magalie venaient de partir à la crèmerie... Pourquoi avais-je refusé d'y aller, déjà? Ah oui, j'étais fâchée contre mon père... Bon, j'aurais le temps de m'expliquer avec lui un autre jour. Je me suis levée d'un bond. Si j'enfourchais ma bicyclette, j'arriverais bien à les rattraper. Je n'allais quand même pas me priver d'un rayon de soleil et d'un cornet de crème glacée triple chocolat!

J'ai franchi l'entrée de la vieille bicoque pour m'élancer dans l'air torride de l'été. Derrière moi, la porte s'est refermée en grinçant sur ses gonds. À cet instant précis, un pressentiment m'a assaillie.

Hortense et moi, on n'était sûrement pas au bout de nos ennuis...

Cahier et jeux pédagogiques

Mémo numéro 14 789
De: Hortense Craquepote
À: L'association des Mirmitons

Objet: la réunion de demain

Mes chers Mirmitons,

En prévision de la journée intensive de développement professionnel qui se tiendra demain, je vous envoie ce document. Je suis persuadée qu'il pourra vous aider à vous préparer pour les différents ateliers qui auront lieu et que cela nous fera gagner un temps précieux (ce qui sera très apprécié, puisque je dois ensuite aller arroser le chou-fleur grincheux de mon potager). Comme toujours, je compte sur votre collaboration pour répondre avec diligence à chaque question.

Au plaisir de vous voir demain,

Hortense

Atelier numéro 1 – 9 h 00-10 h 00
Attrapes et subtilités du vocabulaire humain

Pénélope s'exprime parfois de façon étrange. Les mots qu'elle utilise ne doivent pas être pris au pied de la lettre (hé, hé, hé !), mais interprétés afin d'en comprendre le vrai sens. Tentez d'expliquer chaque expression que vous trouverez ci-dessous. On débattera des réponses demain.

a) Un tas de ferraille :

____

b) Un trou perdu :

____

c) Perdre le Nord :

____

d) Un cadeau empoisonné :

____

Atelier numéro 2 – 10 h 00-11 h 00
Interpréter correctement son grimoire magique

On se rappelle ce qui est arrivé quand Néné a pensé que «anguille» et «brindille» voulaient dire la même chose... On court encore après la créature gluante qui s'est échappée de sa marmite. Afin d'éviter que de tels incidents se reproduisent, on va s'exercer un peu... Dans la liste de mots inscrits dans le tableau ci-dessous, trouve un synonyme aux mots suivants :

a) Marmite
b) Bocal
c) Enchantement
d) Brasser
e) Branchage
f) Amphibien
g) Tablette
h) Liquide
i) Armoire

substance	sortilège
placard	jarre
chaudron	brindille
crapaud	mélanger
étagère	

Atelier numéro 3 – 11 h 00-12 h 00
Table ronde sur notre dernière mission

Dans un souci de nous améliorer, nous allons analyser certains enjeux qui nous ont échappés lors de notre dernière mission. Préparez-vous à donner votre opinion sur les points suivants :

a) Pourquoi Pénélope refusait-elle d'aller prendre une crème glacée avec son père ? Savez-vous pourquoi elle a changé d'idée lorsqu'elle est retournée dans son monde ?

b) Selon vous, est-ce que la colère du roi Marmaruck était justifiée ?

c) Au début de notre aventure, Pénélope ne voulait pas m'aider. Pourquoi donc a-t-elle décidé de me prêter main-forte lors de l'attaque des saringues-volantes ?

d) Pensez-vous que nous devrions livrer Varnassius Crapu à Marmaruck ? Est-ce une punition appropriée ?

Pause du dîner – 12 h 00-13 h 00

Des sandwichs aux œufs chantants ainsi que de la salade de patates roses vous seront gracieusement servis. Pour le dessert... je vous réserve une surprise: ma crème glacée préférée! Pour savoir de quelle saveur il s'agit, vous n'avez qu'à compléter le mot mystère suivant:

E	D	B	C	A	N	I	C	U	L	E	B	E	E	A
L	N	É	E	L	G	R	I	C	É	S	O	L	D	R
U	M	C	C	S	É	U	L	A	C	C	T	L	A	B
B	A	É	H	A	T	O	E	E	H	A	T	I	R	R
I	C	E	T	A	P	I	L	U	E	L	I	U	T	E
T	A	U	B	O	N	O	O	E	L	I	L	O	S	S
S	R	L	R	R	I	T	T	L	L	E	L	R	U	C
E	G	T	A	F	O	L	E	A	E	R	O	T	L	I
V	E	N	A	B	A	C	E	M	B	S	N	I	A	M
V	O	I	T	U	R	E	T	T	E	L	S	C	B	E
H	U	L	U	L	E	M	E	N	T	N	E	L	U	T
L	I	A	T	N	A	V	U	O	P	É	T	I	C	I
S	É	P	U	L	T	U	R	E	I	T	N	E	S	È
E	L	I	T	C	E	J	O	R	P	A	N	T	E	R
F	R	O	N	T	I	È	R	E	C	E	T	T	E	E

ARBRES
BALAI
BALUSTRADE
BESTIOLE
BOTTILLONS
CABANE
CANICULE
CHANT
CIMETIÈRE
CITÉ
CITROUILLE
CLOPORTE
CORBEAU
CRÉATURE
DÉCAPOTABLE
ÉCHELLE
ENCHANTEMENT
ÉPOUVANTAIL
ESCALIERS
ÉTOILE
FIOLE
FRONTIÈRE
GUEULE
HULULEMENT
PROJECTILE
RECETTE
SENTIER
SÉPULTURE
VESTIBULE
VOITURETTE

La crème glacée préférée d'Hortense:

____

Atelier numéro 4 – 13 h 00-14 h 00
Survivre à un sortilège de confusion

Lorsqu'un sorcier véreux nous lance un enchantement de confusion, tous les mots contenus dans notre tête se mélangent d'un coup! Il faut de l'expérience pour résister à un tel charme. Voyez si vous êtes capable de démêler les mots suivants:

Mot	**Indice**
a) gcaeto	prison
b) tcéeadoablp	ma voiture
c) nptoio	Se trouve dans mon chaudron.
d) ictruilleo	légume
e) êtrof	Peut être sombre...
f) csorries	Certains sont meilleurs que d'autres...
g) natgs	Ceux de Pénélope sont verts.
h) boleiest	Un croquepatte, c'est une...
i) clpauer	Varnassius est une...

15 h 00
Clôture de la journée et discussion sur la possibilité de changer de garage pour la décapotable.

TABLE DES MATIÈRES

Réponses

Atelier 1

Tas de ferraille: vieille voiture
Trou perdu: lieu peu fréquenté, peu connu
Perdre le Nord: devenir fou
Un cadeau empoisonné: quelque chose qui s'avère mauvais

Atelier 2

a) Marmite: chaudron
b) Bocal: jarre
c) Enchantement: sortilège
d) Brasser: mélanger
e) Branchage: brindille
f) Amphibien: crapaud
g) Tablette: étagère
h) Liquide: substance
i) Armoire: placard

Atelier 3

Réponses variables.

Pause dîner

La crème glacée préférée d'Hortense : limace gluante.

Atelier numéro 4

a) cageot
b) décapotable
c) potion
d) citrouille
e) forêt
f) sorciers
g) gants
h) bestiole
i) crapule

Un mot de Pénélope

Karine, elle aime la crème glacée comme Magalie. C'est une plombière complètement pourrie et une jardinière euh... plus ou moins accomplie. Si les choux de son potager pouvaient parler, ils en auraient long à nous raconter!

Je sais aussi qu'Hortense l'a déjà visitée en rêve quand elle était petite. Qui sait? Elle lui a peut-être partagé les secrets de ses potions, de ses sortilèges. Humm... D'ailleurs, je me suis toujours demandé comment elle faisait pour connaître si bien mon histoire...

P.S. Si tu veux en savoir un peu plus sur K. Lambert, tu peux visiter ce site: www.klambert.ca

ÉDITIONS
PIERRE TISSEYRE
www.tisseyre.ca

Ce livre a été imprimé
sur du papier enviro 100 % recyclé.

Ensemble, tournons la page sur le gaspillage.